D1160582

TEATRO MEXICANO CONTEMPORANEO

◦◦ col escenología/drama

Dirigida por
Edgar Ceballos

Berman

Escenología, A. C.

ENTRE VILLA Y UNA MUJER DESNUDA
MUERTE SUBITA
EL SUPLICIO DEL PLACER
© Sabina Berman, 1998
© Escenología, A. C.,1998
Sur 109-A No. 260
Col. Héroes de Churubusco
Deleg. Iztapalapa
09090 México, D.F.
Tel. 581-4998   Fax 581-6567
E-mail: esceno@data.net.mx

Primera edición:
        GEGSA-DDF, 1994

Viñeta de portada: Rosario Guillermo

Reservados todos los derechos. Prohibido cualquier
uso que se le quiera dar a esta obra al igual que su
reproducción total o parcial en forma alguna o
mediante un sistema, ya sea electrónico, mecánico,
de fotorreproducción o cualquier otro, sin el permiso
escrito del autor.

ISBN: 968-7155-59-0

Impreso y editado en México

Printed and made in Mexico

Presentación

Al igual que el mundo, también para el teatro, en el principio fue el verbo. De esta manera, la obra ha sido y es, la configuración primigenia del hecho teatral mismo. Como palabra escrita es igualmente literatura.

Esta colección de teatro contemporáneo mexicano tiene dos facetas. Representa lo más sobresaliente, sin duda la madurez creativa del imaginario dramático de distinguidos habitantes de esta Gran Ciudad de México: Hugo Argüelles, Luisa Josefina Hernández, Emilio Carballido, Vicente Leñero, Antonio González Caballero, Héctor Mendoza, Carlos Olmos, Sabina Berman, Víctor Hugo Rascón Banda, Tomás Urtusástegui, Leonor Azcárate y Luis Eduardo Reyes.

Desde otra faceta, constituye el esfuerzo conjunto por dar a conocer, para quien se interese en ambos lados del océano, treinta y nueve títulos teatrales de nuestra dramaturgia mexicana de los últimos años.

Por ello esta colección concebida inicialmente en doce volúmenes, nace de la voluntad por recoger creatividad, ofrecer una visión de nuestro entorno geográfico próximo al fin de milenio, así como llenar un vacío de la dramaturgia contemporánea en Iberoamérica, con respecto a nuestro país.

El Departamento del Distrito Federal, a través de la Dirección General de Acción Social y en coedición con Escenología, A.C., publica esta colección de textos que esperamos sea el mejor estímulo para el desarrollo del oficio dramático de México y los países de Hispanoamérica.

Manuel Aguilera Gómez
Regente de la Ciudad de México
Julio de 1994

Nota del editor

Para mí, hay un hilo invisible que une el trabajo de Sabina Berman *Entre Villa y una mujer desnuda, El suplicio del placer* y *Muerte súbita*: es su fascinación por la paradoja y ese encanto femenino para hacer del teatro mexicano de fin de milenio un espacio mágico —en el sentido talmúdico— y sensible dentro de una concepción de sencillez estética en la metáfora de lo vivo.

En su discurso dramatúrgico, asciende peldaños entre Dios y el hombre, el cielo y la tierra, el amor, la redención, el camino, la enseñanza, la plegaria, así como el bien y el mal, para explicar el teatro a la luz de sus cosas y de su experiencia como mujer.

Edgar Ceballos

Entre Villa y una mujer desnuda

1993

Para Marie Caroline Bernard

Personajes:

Gina, hacia los 40 años
Adrián, 45 años
Andrea, entre 30 y 45 años
Villa
Ismael, como de 22 años
Mujer
Doña Micaela Arango

Gina no tiene que ser especialmente atractiva, pero uno desearía de inmediato tenerla de amiga. Sus ademanes son suaves y en general tiende a conciliar su entorno. Si en las escenas de esta historia pierde el buen juicio con cierta frecuencia —se vuelve brusca o comete locuras—, es porque circunstancias extremas están desequilibrando su natural gentileza.

Adrián tampoco tiene que ser especialmente atractivo, pero cualquier mujer desearía invitarlo a cenar y averiguar si es cierta esa sensualidad que se le entrevé por la corteza sobria y áspera. Tiene una elegancia calculadamente descuidada, tan común en los caracteres intelectuales sofisticados, y una labia hipnótica. De pronto el discurso político puede literalmente poseerlo y entonces habla rápido y fervientemente.

Andrea es una mujer directa. Se parece al expresidente Plutarco Elías Calles, en los gestos, la facha y la inteligencia. Si esto parece indicar que no es una mujer atractiva, lo primero es invitar al lector a revisar las fotografías del guapo Plutarco; lo segundo es asegurar que tiene un encanto físico y una divertida tendencia mental a la ironía. Y por supuesto, Andrea es la socia ideal para cualquier empresa que requiere energía y decisión.

Ismael es un joven bien fornido. Cuando está cerca de Gina tartamudea y suspira y clava la mirada lánguidamente, pero con cualquier otro mortal luce una desenvoltura que a veces se rebasa hasta la insolencia. Suele ir con pantalones vaqueros muy gastados y tenis y lleva en la oreja derecha una arracada de plata.

Villa es el Villa mítico de las películas mexicanas de los años cincuentas, sesentas y setentas. Perfectamente viril, con una facilidad portentosa para la violencia o el sentimentalismo.

Entre Villa y una mujer desnuda se estrenó en enero de 1993, en el Teatro Helénico, con el siguiente reparto y equipo de producción:

Gina:	Diana Bracho
Adrián:	Juan Carlos Colombo
Andrea:	Laura Almela
Ismael:	Gabriel Porras
Villa:	Jesús Ochoa
Doña Micaela:	Evelyn Solares
Mujer:	Laura Almela

Dirección: Sabina Berman

Escenografía:	Carlos Trejo
Vestuario:	Mariestela Fernández
Coreografía:	Feigue Berman
Musicalización:	Marie Caroline Bernard
Iluminación:	Abraham Oceransky
Publicidad:	Paulina Campdera
Diseño de imagen:	Alberto Labarta
Productores asociados:	Marie Caroline Bernard, Jaime Tiktin
Productora:	Isabelle Tardan

El estreno fue dedicado a Gloria Alicia Inclán, nuestra primera doña Micaela Arango, que nos acompañó en los primeros meses de ensayos con su vitalísimo sentido del humor y su sabiduría teatral. Desde el Más Allá seguramente nos estará echando un ojo.

Epoca actual. (1993)
1. Un departamento en la colonia Condesa de la ciudad de México:
Una sala *con al menos estos elementos: un ventanal grande, un sofá,
una mesita baja, un taburete; puerta principal y accesos a la cocina
y al dormitorio.*
Un dormitorio.

2. Entrada a un edificio de departamentos.
Para el estreno de Entre Villa y una mujer desnuda *se diseñó un
espacio que siendo la sala del departamento de Gina podía ser sin
ningún cambio físico los otros lugares que plantea la obra.*
*Las escenas donde aparece Villa pueden sin problema realizarse
en la sala, en un juego escénico que permite convivir dos tiempos
históricos. Sin mayor explicación Villa y la Mujer de época revolucionaria pueden tomar té en esa sala contemporánea. Igualmente,
Villa y su madre pueden pasearse por la sala, usando el espacio como
si se tratara de campo abierto; de ahí que sean plausibles las acota-
ciones que indican que Gina al fumar un cigarro en su sala echa
el humo sobre Villa y Villa comenta que hasta ahí llega el humo del
campo de batalla, o que Villa toma de la mesita donde Gina escribe
a máquina la botella de tequila y bebe de ella.*

En el primer acto la parte posterior de la sala se convertía en un dormitorio cuando allí se deslizaba una cama donde Gina y Adrián, acostados, conversaban; al mismo tiempo en la parte de la sala más próxima al proscenio Villa y la Mujer toman té.

La forma del plano de la sala era, esquemáticamente, una cruz: un área donde estaba el sofá, al frente; en medio un pasillo estrecho, en cuyo extremo izquierdo se encontraba la puerta principa,l y en cuyo extremo derecho estaban los dos arcos, accesos a la cocina y el dormitorio; atrás otra área de sala, dominada al fondo por un ventanal de medio arco.

Asimismo la parte posterior de la sala, mediante un efecto de luz y sonido que evocaba la lluvia se convertía en la entrada al edificio de Adrián; el ventanal giraba para ser el portón con su interfón.

A la directora le pareció entonces imprescindible la cercanía del acceso a la cocina con el acceso al dormitorio, dadas las entradas y salidas rápidas de los personajes que se plantean en el primer acto.

I

1. *Andrea y Gina toman té en la sala.*

GINA:
Cada dos o tres semanas.

ANDREA:
¿Dos o tres semanas?

GINA:
O cuatro días.

ANDREA:
Ya.

GINA:
Llama por teléfono antes de venir.

ANDREA:
Ay, qué amable.

Gina enciende un cigarrillo largo y negro.

GINA:
Dice: Estoy a una cuadra de tu departamento, ¿puedo verte? O:
estoy en la universidad, necesito verte. O: hablo del teléfono de la
esquina, ¿me recibes? Siempre lo recibo.

ANDREA:
Ya.

GINA:
Le abro la puerta. Hay un cierto ritual. Le abro la puerta, se queda
en el <u>umbral</u>, me mira. Me mira. . . Luego, se acerca: me besa. *(Se
toca los labios.)*

ANDREA:
Tú a él no.

GINA:
No. Tiene que pasar un momento o dos o tres, antes de que algo. . .
algo: el sentimiento, me regrese de la memoria. Entonces subo la
mano a su cabello y. . . hasta entonces se me abren.

ANDREA:
Se te abren. . . (?)

GINA:
Los labios. La crema. Se me olvidó la crema. *(Sale a la cocina,
llevándose su taza.)*

ANDREA:
Los labios. ¿Cuáles?

Suena la campanita de la puerta principal.

2. *Gina abre la puerta. Es Adrián, en su impermeable beige,
gastado por una decena de años de amoroso uso, el hombro contra
el quicio. Se miran.*

*Adrián estrecha a Gina por la cintura y la besa en los labios,
mientras la encamina al dormitorio. Pasa un instante, dos, tres, antes
de que la <u>diestra</u> de ella suba a la melena cana de él, y ahí se hunde.*

 right hand

 long hair

Antes de cruzar el quicio del dormitorio él la levanta en sus brazos, entran.

3. Mientras Gina regresa de la cocina con la cremera.

ANDREA:

Directo a. . . *(Hace un gesto que implica hacer el amor.)* Eso es lo que se llama un hombre directo. Aunque dices que ya dentro de la cama es menos. . . O más. . . bueno, ¿cómo dices?

GINA:

No, ya dentro es. . . ay, Dios. . . *(Vierte la crema desde quince centímetros de altura, larga, lentamente.)* Ya dentro es. . .

ANDREA:

¡Mmmmm! ¡Mhmmm! Así está bien (de crema), gracias.

GINA:

La Gloria, Andrea. Ya dentro es la Gloria.

ANDREA:

¿Entonces cuál es el problema. . .?

GINA:

Es cuando llega.

ANDREA:

Claro, cuando llega.

GINA:

No, cuando llega aquí al departamento.

ANDREA:

Ah, aquí al departamento.

GINA:

Antes, pues, de hacer el amor. . . se inicia esta lucha ridícula. El tratando de llevarme inmediatamente a la cama y yo tratando de llevarlo a la sala para tomar un té.

ANDREA:

¿Te quieres casar?

GINA:

¿Casar con él? No, no. *(Se ríe.)* No. *(Seria.)* No.

ANDREA:
¿Porque ya está casado?

GINA:
No. Aunque no lo estuviera. De veras.

ANDREA:
Y si no te quieres casar, ¿para qué quieres convivir con él en la sala?

GINA:
Quiero tomarme un té con él. Carajo, se me olvidó mi té. *(Sale a la cocina, llevándose la charola con el juego del té.)*

ANDREA:
(Luego de probar su taza.) ¿Por qué se llevó todo? Esta mujer está muy nerviosa.

Suena afuera un teléfono.

4. Gina entra hablando por teléfono.

GINA:
¿En dónde estás? ¿En el aeropuerto de aquí? ¿Te vas o llegas?

ANDREA:
(Saliendo a la cocina a buscar a Gina.) ¿Gina. . .?

GINA:
Tenía una cita con un notario. Pero ven. Ven. Ven. Pero en tres cuartos de hora llegas aquí. Sí, también yo. También yo. . . También. *(Cuelga. Se queda de pie, respirando densamente. Suena la campanita de la puerta principal.)*

5. Gina abre la puerta. Es Adrián, el hombro recargado contra el quicio, en impermeable, a un lado ha dejado su maleta. La mira largo, fijamente. Hay algo desamparado en su expresión.

ADRIAN:
(Quedo, grave.) ¿Puedo. . .?

GINA:
Sí.

ADRIAN:
¿Segura?

GINA:
Sí.

ADRIAN:
Me muero si un día me dices: no, ya no, ya nada.

GINA:
O si tú ya no llamas: yo me muero.

ADRIAN:
No, yo me muero.

GINA:
Está bien: si no me llamas, muérete.

ADRIAN:
Está bien.

Adrián abraza a Gina por el talle y la besa en los labios; retroceden hacia el dormitorio besándose. Pasa un momento, tres, ella sube la diestra a su melena. A un paso del dormitorio él la levanta en brazos, pero Gina se acuerda de sus propósitos y salta al piso.

GINA:
Espérate. Vamos a tomar un té.

ADRIAN:
¿Un qué?

GINA:
Hace un mes que no te veo, carajo.

ADRIAN:
Por eso.

GINA:
Por eso. *(Zafándose y entrando a la cocina.)* Bueno, cuenta.

ADRIAN:

> *(Yendo a colgar su impermeable en el perchero.)* ¿Cuento qué? Te dije: estuve en Toronto. ¿No te dije? Te dejé un recado en tu contestadora, hace un mes. Y estuve un mes fuera. Di unas clases. Un curso.

GINA:

> ¿De?

ADRIAN:

> ¿De? De historia de la Revolución Mexicana. ¿Y el té?

GINA:

> *(Que recién ha salido de la cocina.)* El agua tarda en hervir.

ADRIAN:

> ¿Ah, sí?
>
> *Gina va a sentarse al sofá.*

GINA:

> Toronto, que queda en el sur de Canadá. En la frontera con los Estados Unidos.

ADRIAN:

> Junto a las cataratas del Niágara.

GINA:

> Fíjate. Así que hasta ahí se interesan por la Revolución Mexicana.

ADRIAN:

> Gina, necesito. . . sentirte. . . que me toques. . .

GINA:

> Ven, siéntate. ¿No podemos platicar como si fuéramos seres humanos?
>
> *Adrián lo piensa. Va a sentarse al sofá, pero Gina extiende en el sofá las piernas para ocuparlo entero. Resignadamente, Adrián toma asiento en un taburete.*

GINA:

> ¿Y cómo las encontraste, a las cataratas del Niágara?

ADRIAN:

impresionante

Son unas caídas de agua. . . imponentes, esa es la palabra: imponentes. Toneladas de agua por segundo cayendo. . .

GINA:

(Interrumpiéndolo.) Las conozco. Estuve allí con Julián, hace diez años.

ADRIAN:

(Molesto.) Con Julián. . . ¿Y la pasaron bien?

Silencio: la plática se ha agotado.

ADRIAN:

(Inclinándose hacia ella, buscándole los labios para besarla.) Me encantas, me encantas. Sueño contigo.

Suena el silbido de una tetera. Gina se apresura a la cocina.

ADRIAN:

¡¿A dónde vas?!

GINA:

¡El té! ¿No íbamos a tomar té? *(Desde la cocina.)* ¿Trabajaste en lo de Villa?

ADRIAN:

La monografía de Villa. Sí. Va bien. La verdad llevo las notas sobre Villa a todas partes. Estoy en una reunión del consejo del periódico, y discretamente estoy dibujando en mi cuaderno sombreritos norteños. Pienso en Villa hasta dormido. Pero la verdad, en este momento quisiera descansar de don Pancho Villa, si no te importa. Es decir: empecé ya a trazar el esquema del libro. *trazar: plan* Es lo que menos me gusta. Lo que quisiera es ya estar. . . ¿cómo decirlo?, montado en el tema. Concretamente quisiera ya estar cabalgando con el Centauro rumbo a la ciudad de México. Villa seguido de la División del Norte. Un ejército resbalando hasta la ciudad. Un ejército de desharrapados: un pueblo de desharrapados precipitándose sobre la "Ciudad de los palacios". Todos estos cabrones muertos de hambre viniendo a cobrarse lo que es suyo de los politiqueros tranzas y perfumados y jijos de la chingada.

Bueno, va a estar mejor escrito que como lo cuento. En fin, hablemos de otra cosa.

Aunque no mucho mejor escrito. No escrito con delicadezas, mariconerías lingüísticas. Quiero hacer sentir toda la violencia del asunto: quiero que mi libro huela a caballo, a sudores, a pólvora; ¿y el té?

Gina ha regresado a tomar asiento en el sofá.

GINA:

Está infusándose.

ADRIAN:

In-fu-sán-dose. Qué fascinante.

GINA:

¿Cómo está Marta?

Pausa incómoda.

ADRIAN:

(Luego de carraspear.) No las he visto. Digo: hace cuatro semanas que no las veo. Estuve en Toronto, recién te dije. *(Se suaviza.)* Están bien, perdón, ayer hablé con Marta de larga distancia, la niña estaba dormida pero supongo que está bien. Hoy en la noche las veo. Gina: no sé por qué me hablas de mi hija y su madre. Me. . . incomoda.

GINA:

Porque me habló Marta.

ADRIAN:

¿Te habló a ti?

GINA:

No le diste el dinero de abril para la niña.

ADRIAN:

Ya sé, pero no tiene por qué meterte. . . ¿Cómo está tu hijo?

GINA:

Bien. Iba a venir de vacaciones pero prefiere quedarse estudiando en Boston, para los exámenes.

ADRIAN:

Gina, yo ya no vivo con esa mujer. Son asuntos del pasado, ruinas del pasado. Me crees, ¿no?

GINA:

Yo te creo todo.

ADRIAN:

Pues haces mal. Soy un desobligado. Abandono lo que más amo. No sé por qué.

Lo sabes, es evidente: llevo dos matrimonios fracasados, pero quieres no saberlo. Quieres cambiarme. Pero más fácil sería que me cambiaras por otro hombre.

GINA:

¿Qué opinas de las elecciones en Oaxaca?

ADRIAN:

¿Esto es lo que tú llamas una plática natural?

GINA:

Esto es lo que llamo una plática ligera.

ADRIAN:

Violaron las urnas en Oaxaca, hubo balaceras en las calles y cuatro muertos.

GINA:

Entonces cuéntame de tus alumnos.

ADRIAN:

No.

GINA:

O deja que te cuente cómo va la maquiladora.

ADRIAN:

No. No me interesa tu trabajo. Especialmente no, cuando estás montando una maquiladora; es decir, cuando te afilias al vendabal neoliberal que está desgraciando a este país.

GINA:

Estamos dándole trabajo a la gente.

ADRIAN:

No. Están esclavizándolos. Por algo tu socia, ¿cómo se llama?

GINA:

Andrea Elías.

ADRIAN:

Elías Calles: nieta del máximo traidor a la Revolución.

GINA:

Si la conocieras. . .

ADRIAN:

La asesino. Como voy a asesinar veinte veces a su abuelito en mi libro.

GINA:

(Conciliadora.) Adrián, la intención es tener una plática natural.

ADRIAN:

No.

GINA:

Sí.

ADRIAN:

(En una descarga rápida.) No, no, no. No hay nada que sea humano y natural al mismo tiempo. Somos la única raza animal con memoria, por lo tanto con Historia, por lo tanto con acumulación de costumbres. Llevamos algo así como 8 000 años acumulando costumbres. Ergo: natural como natural es una imposibilidad; natural como pautas automatizadas es no sólo posible, es por desgracia un poco menos que inescapable.

GINA:

Eres imposible.

ADRIAN:

Y te deseo.

Rápido, traslapado:

GINA:

Y yo también te deseo.

ADRIAN:

¿Entonces. . .?

GINA:

Podemos seguirnos deseando, deseando serenamente. . .

ADRIAN:

Cuatro horas de avión y una de taxi deseándote. . .

GINA:

Serenamente. Antes de. . .

ADRIAN:

¿De qué?

GINA:

De matar el deseo como un animal.

ADRIAN:

Estás educándome.

GINA:

Sí.

ADRIAN:

Ah.

GINA:

Es que ya estamos haciendo el amor.

ADRIAN:

¿En serio?

GINA:

Hablando, mirándonos, deseándonos de lejos, ya estamos haciendo el amor.

ADRIAN:

 Es que el amor de lejos. . .

GINA:

¿Listo para tomar el té?

ADRIAN:

Gina. . . Es que el amor de lejos, hoy empecé a hacerlo contigo a las nueve de la mañana, cuando me desperté pensando en ti aquí *(la cabeza)* y aquí *(el corazón)* y aquí *(el sexo)*. Llego al aeropuerto, y antes de abordar, en el umbral electrónico me piden que deposite mi maleta de ropa, mis llaves, mi cinturón de hebilla grande, me quito todo eso y siento que ya estoy desvistiéndome en tu cuarto. . . Y en el avión me parece que todo el avión, estoy sentado en la última fila, y siento que el avión entero, el Jumbo entero, es mi enorme deseo. . . Y que el cielo en el que estoy penetrando y penetrando y penetrando eres tú y tú y tú. . . cinco horas sin escalas. . . Y las nubes arriba son tus ojos en blanco y abajo tus piernas abiertas son la Sierra Madre Oriental. . . *(Retrocediendo hacia el dormitorio.)* Así que si no me permites tocarte ahora, te advierto: puedo enfermarme, o enloquecer para siempre.

GINA:

Dios santo, qué labia tienes. *(Se encamina al dormitorio, desvistiéndose. . .)*

ADRIAN:

(Saliendo tras ella.) No, no, no. Labia, labia la tuya, mi vida.

Salen al dormitorio.

6. *Entra en la estancia, con aire desconfiado, don Pancho Villa. Lleva al hombro sus cananas, su revólver. Entra una Mujer, vestida a la usanza de principios del siglo xx, con una charola en la que trae el servicio del té.*

MUJER:

Siéntese, mi general. Esta es su casa.

VILLA:

(Mirando su entorno.) Ah chinga'os.

La Mujer se arrodilla para dejar en la mesita baja la charola.

MUJER:
Le sirvo té. Es té de tila. ¿O prefiere un café?

VILLA:
(Yendo a sentarse frente a ella.) ¿Por qué no? Prefiero un café.

MUJER:
Es bueno el té de tila para los nervios, mi general. Los apacigua. Luego uno piensa cosas muy buenas.

Va deslizándose en otro sector una cama. Gina y Adrián están sentados contra el espaldar.

VILLA:
Pos eso mismo me da prevención. No me vayan a quedar los nervios lacios, lacios, lacios. . . y entonces ni con humo me saca de aquí de su casa.

MUJER:
Ay mi general, pues quién quiere que se vaya.

VILLA:
Es usted muy bonita.

ADRIAN:
Era una mujer muy bonita.

VILLA:
Muy educadita. Muy refinada. Hija de familia, como se dice. Por usted, hasta ganas dan de adormilarse.

GINA:
Entonces, el general se bebió el té de tila de un solo trago.

ADRIAN:
No, no podía. Hizo así como si se lo sorbiera. Nunca comía ni bebía nada que su sargento no hubiera probado y resistido antes. A Villa lo habían tratado de envenenar muchas veces. Nada más como si lo sorbiera hacía, estaba ganando tiempo.

GINA:
(Quedito.) Pásame las gomitas.

Adrián toma una gomita y le pasa la bolsa a Gina.

ADRIAN:
   (Con la gomita en la boca.) Sí, nada más le ganaba tiempo al
   tiempo. . .

GINA:
   ¿Tiempo para qué?

ADRIAN:
   Tiempo para ver a la mujer, para gozarla despacito, y para decirle
   adiós. Por que esa mujer no iba a ser suya. Al menos no como las
   otras tantas mujeres que tuvo el general.

GINA:
   Trescientas tuvo.

ADRIAN:
   Las cifras se pierden en lo mítico.

VILLA:
   Es usted, de veras, requete bonita.

ADRIAN:
   Era muy pero muy bonita.

VILLA:
   Es usted requete preciosa, qué recondenada suerte.

MUJER:
   Tómese el té, mi general.

GINA:
   Y luego se duerme entre mis brazos.

MUJER:
   Y luego se duerme entre mis brazos.

VILLA:
   El general Villa sólo duerme en brazos de la sierra y la noche
   abierta. Así que no es por desairarla. Jijos de la Tiznada: es usté
   requete primorosa. . ., pero contrarrevolucionaria.
   Su papacito es general callista. Epigmeo Saldívar Saldaña se llama
   el muy méndigo, ¿que no?

GINA:
Y bueno, qué importa. Ella es ella.

VILLA:
Cómo se ve que siempre ha dormido usté en almohada blanda. Ni yo merito le impongo miedo. Ya me ve amaneciendo arrepechadito a usté, ¿no es verdá?

MUJER:
Le sirvo más té, mi general. De tila.

La Mujer extiende el brazo para tomarle la taza.
Villa la observa. Con la mano con la que no sostiene la taza, desenfunda la pistola. Mata a la mujer.
Gina se queda boquiabierta.
Villa sopla el humo del cañón de su pistola.
Adrián se alza de la cama al tiempo que Villa se alza del sofá.
Mientras Adrián discute con Gina, se vestirá; en tanto, con movimientos extrañamente sincronizados a los de Adrián, Villa irá a quitarle los aretes a la Mujer, a cerrarle los ojos, y luego se pondrá sus cananas, preparándose para irse.

GINA:
¿Qué pasó? ¿Por qué la mató?

ADRIAN:
Porque tengo que irme.

GINA:
¿Por qué?

ADRIAN:
Porque tengo que irme.

GINA:
Quédate a dormir.

ADRIAN:
Tengo que irme.

GINA:
Cenamos y te vas.

ADRIAN:

. . .

GINA:

Trabajas acá.

ADRIAN:

No traigo con qué.

GINA:

Pues trae con qué, la próxima vez. No te estoy pidiendo que te quedes a dormir, sólo que te quedes más tiempo. Adrián, quédate a cenar.

ADRIAN:

No puedo, no puedo. No puedo.

GINA:

Mándame lo que vayas escribiendo, para pasártelo en limpio.

ADRIAN:

No puedo.

Villa se cala el sombrero al tiempo que Adrián se cuelga al hombro su saco.

GINA:

Siempre yéndose, chingados.

VILLA:

Huyendo o atacando. Es el destino del macho, compañerita.

Villa y Adrián se sobresaltan cuando oyen la campanita de la entrada. Ambos, recelosos, se escurren de donde están: Villa fuera de escena, Adrián a la sala.

7. *Gina se pone una bata japonesa, va a abrir. Es Ismael, en un saco de marino y pantalones de mezclilla.*

GINA:

Ismael, ¿cómo estás? Pasa, pasa. Este es Ismael, Adrián. El amigo de mi hijo.

ADRIAN:
Mucho gusto.

GINA:
Trabaja conmigo en la tienda. Me diseña cubos.

ADRIAN:
Cubos, los diseña, qué interesante.

GINA:
Esos juegos de madera para los niños chiquitos, ya sabes.

ADRIAN:
Claro.

GINA:
Y nos está diseñando los cubos de la maquiladora.

ADRIAN:
No me digas. Así que usted diseña cubos. Lo felicito. Lo felicito.

GINA:
Y éste es Adrián Pineda, mi. . . este, eh. . .

Ismael tose.

ISMAEL:
Mucho gusto.

GINA:
Buen amigo Adrián Pineda.

ISMAEL:
Ah, tú escribes en *La Jornada*, ¿no? O en el *Esto*. ¿O en dónde?

ADRIAN:
En *La Jornada*.

GINA:
Enséñanos los nuevos cubos, Ismael. Vas a ver qué bellas cosas hace este muchacho.

ADRIAN:
Yo te hablo, ¿está bien?

GINA:
Espérate un momento.

ADRIAN:
No.

GINA:
Un momento.

Adrián cruza, al frente, una mano sobre la otra, se espera estrictamente un momento.

ADRIAN:
Yo te hablo. *(La besa en los labios, sale.)*

Brusca, Gina cierra la puerta. Entonces se topa con la maleta de Adrián. Abre la puerta en el momento en que él toca el timbre, precisamente para pedirle la maleta, pero descortés, ella la empuja a fuera con el pie y cierra la puerta. Se va entristeciendo. De una patada prende la grabadora. (Así se prende la grabadora de Gina.) Suena un bolero romántico.

Gina se deja caer en el sofá. Así, en su bata de seda, el pelo revuelto, se está lánguida y ausente en el sofá. Ismael la observa desde hace unos minutos, absorto.

Pasa un rato hasta que Gina lanza un suspiro muy grande, Ismael tose. Gina se vuelve a verlo, sorprendida. Lo había olvidado.

GINA:
(Lánguida, melancólica, melodramática.) Ismael.

ISMAEL:
¿Sí, sí?

GINA:
Ismael, acércate...

ISMAEL:
Sí.

GINA:
...y enséñame tus cubitos.

Ismael se arrodilla junto a la mesita baja; empieza a sacar sus cubitos.

OSCURO LENTO

II

1. Aún está oscuro. Gina en su bata japonesa, sentada para escribir en máquina, consultando una libreta de Adrián.

GINA:
(*Tecleando.*) Noche. . . (*Se enciende en el ciclorama la noche.*) . . .de luna. . . (*Baja en el ciclorama una luna redonda.*) . . . llena.

Entra al escenario Doña Micaela Arango, una anciana con rebozo, un cofrecito de joyas entre las manos, se congela. Mientras Gina se sirve un tequila, entra Villa, se congela.
Gina teclea: Villa y Doña Micaela se avivan. Durante la escena Villa ha de saltar varias veces sobre el sofá, como si se tratara de vallas que salta.

DOÑA MICAELA:
(*Tirando lo que menta por encima de su hombro.*) Aretes de canica de agua.

VILLA:
(*Cachando las joyas.*) De ópalo.

DOÑA MICAELA:
Anillo de. . .

VILLA:
Ojo de tigre, amá. Aquellos pendientitos son rubíes. . .

DOÑA MICAELA:
No me quiere asté, mi niño. En dieciocho años lo he visto cinco veces.

VILLA:
Siete, mamacita.

DOÑA MICAELA:
Cinco.

VILLA:
Siete.

DOÑA MICAELA:
Cinco, con una chingada.

VILLA:
Está bueno, mamacita: siete, digo: cinco.

Gina enciende un cigarro: Villa se alarma.

VILLA:
¿Qué carajos. . .?

Gina exhala un chorrito de humo sobre Villa.

VILLA:
Ah: hasta aquí llega el humo del campo de batalla. *(Refiriéndose al tecleo de la máquina de escribir.)* Sí, como ese traqueteo: la maldita metralla. . . ¿Y qué, le placen, madrecita?

DOÑA MICAELA:
¿Qué quere que haga con esta riqueza? ¿Colgármela pa' pasear por la plaza, pa que todo mundo sepa y conozca que m'hijo es un bandolero?

VILLA:
Un revolucionario, mamá.

DOÑA MICAELA:
Usté sólo viene a verme cuando le queda cerca de una guerra, o otra de sus criminalidades.

VILLA:
Ya me va a empezar a regañar. . .

DOÑA MICAELA:
Aquí tenga esta arete de plata. Tiene una gota de sangre. Y aquí tome de una vez todo su oro, Panchito. Esta mamacita de usté es probe pero digna.

VILLA:
Ayayayayay, qué hombre es mi amá.

DOÑA MICAELA:
No, nomás hembra que ha parido.

VILLA:
Cállense cerros, que mi madre habló.

DOÑA MICAELA:
Pero es que la vida que llevas, siempre a salto de mata. ¿Quién le zurce los calcetines? ¿Quién se fija que su sarape esté limpio? Y si te duele una muela, ¿a quién le cuentas?

VILLA:
Pos 'ai tengo unas cuantas señoras que me quieren. . .

DOÑA MICAELA:
Pero ni una casada contigo por la Iglesia y ante Dios.

VILLA:
Cómo no. Cinco casadas conmigo por la Iglesia y ante Dios.

DOÑA MICAELA:
¡Jesús santo! *(Se persigna.)* ¡Nombres!

VILLA:
¿Cómo dijo, madrecita?

DOÑA MICAELA:
Quero nombres, direcciones y apelativos de esas fulanas y de todas tus queridas. Las de ahora y las dendenantes.

VILLA:
¿Qué dice, madrecita?

GINA:
Ay, perdón. Perdón, perdón, perdón.

Gina regresa el rodillo y tacha: Doña Micaela vuelve a sentarse y a su resignación, como si se regresara el tiempo. Gina vuelve a escribir.

DOÑA MICAELA:
¡Jesús santo! *(Se persigna.)* ¡Qué Pancho! Entonces como si ni una. Porque si son cinco, no hay quien le lleve de cerca el registro, m'hijo. No hay quien lo cuide noche tras noche. No tiene con quien saber que va a morirse en sus brazos. . .

VILLA:
No llore, amá, que entonces sí me quiebra. . .

Y se quiebra Villa: llora. Toma de la mesita de Gina la botella de tequila, bebe. Gina le toma la botella a Villa, y también bebe, igualmente llorando. Sin darse a notar, Ismael aparece de espaldas en el quicio de la cocina, está arreglando unas rosas rojas en un florero.

DOÑA MICAELA:
(Luego de enjugarse las lágrimas.) ¿Y cuántos son ya mis nietos?

VILLA:
Muchos.

DOÑA MICAELA:
¿Cuántos?

VILLA:
Pos así, certeramente. . .? Cien. . . Ciento. . . Pos siento mucho no poder sacar las cuentas. Le digo: andamos haciendo Patria. *(Se arrodilla junto a ella.)* No se enoje conmigo, madrecita. Usted sabe que si ando por estos caminos de polvo y sangre es porque este pinche mundo no está bien hecho.

DOÑA MICAELA:
¿Y hasta cuando vas a seguir así, guerreando?

VILLA:
Hasta que déjemos colgados de los campanarios de la Catedral a todos los contrarrevolucionarios. Sobre todo al generalito ése, Elías Calles: a ése, de los huevos. Y luego. . .

DOÑA MICAELA:
¿Luego?

VILLA:
Pos. . . hasta que déjemos bien hechecito al mundo.

DOÑA MICAELA:
(Llorando.) Uuuujule, Pancho. . . 'Ta verde. No ande saltando.

VILLA:
Es que a mí no me gusta andarme con rodeos.

DOÑA MICAELA:
Que no saltes.

VILLA:
Deme su bendición, madre, que ya debo largarme.

DOÑA MICAELA:
No le doy nada. Primero vas con el cura y te confiesas y a luego.

VILLA:
Se lo ruego, mamacita. De niño apenas y me dio de comer. Namás
le pido una bendición. . .

*Doña Micaela acerca a la cabeza de su hijo la diestra, para ben-
decirlo. Gina saca la hoja de la máquina para colocar otra. Doña
Micaela y Villa se congelan. Sin darse a notar, Andrea se sienta junto
al ventanal. Cuando Gina vuelve a teclear, doña Micaela y Villa se avivan.*

DOÑA MICAELA:
No le doy nada, punto.

VILLA:
Mire mamacita, doña Micaela, para confesarme necesitaría al menos
ocho días y usté bien oye que 'ai fuera está la guerra esperándome.
Además, necesitaría usté conseguirme un cura con el corazón muy
grande, más grande que el mío, para que yo le dijera todo lo que
el Señor me ha dado licencia de hacer.

GINA:
Ya sin escribir, leyendo de una hoja, y en escena sucediendo.)
La anciana deslizó su mano temblorosa sobre la cabeza de su
hijo. . . pero la retiró, como si hubiera tocado lumbre.

DOÑA MICAELA:
(Retrocediendo hasta salir de escena.) No m'hijo. A un asesino
no puedo darle la bendición.

VILLA:

No le aunque, ya es costumbre. ¡Vámonos!

Villa sale. A lo lejos lo vemos disparar al aire tres veces. Gina bebe de un sorbo su tequila.

2.

ANDREA:

Qué barbaridad, pero qué barbaridad. Mira que ese plan suyo de colgar a mi abuelito de sus partes nobles en pleno Zócalo, me ha dejado *perplexed, darling, perplexed.* Pero bueno, es típico; de un historiador es típico: vivir en el pasado.

GINA:

Lo estás tomando muy personalmente.

Ismael deja el florero con rosas en la sala. Luego va al fondo. Un relámpago.

ANDREA:

Va caer una tormenta. No, ¿por qué habría de tomarlo personalmente? Si pudiera, haría con él lo que don Plutarco hacía con los intelectuales más críticos, más enjundiosos e influyentes. Lo enviaba de embajador a Checoslovaquia. Ya párale, ¿no? Llevas tres cuartos de botella.

GINA:

Pero cuando empecé ya estaba empezada. Bueno, no coincides con él políticamente, puedo aceptar eso. Pero como escritor. . .

ANDREA:

Ah no, no, como escritor me parece notable su. . . su. . .

GINA:

Estilo.

ANDREA:

No, no, su. . . su ortografía. Impresionante cómo pone los puntos y las comas. Con mucha, mucha virilidad, ¿no?

Hay otro resplandor, suave.

GINA:

¿Y esas rosas?

ANDREA:

Te las trajo. . . *(Señala a Ismael, que se encuentra de espaldas, junto al ventanal.)*

ISMAEL:

(Volviéndose.) Es que no, es obvio: o vives con ese tipo o lo cortas.

GINA:

¿De qué hablas? Yo vivo sola muy feliz y muy tranquila.

ISMAEL:

Hablo de tus insomnios, de los días en que no llegas al negocio, de cómo lo único que haces últimamente es copiar las cosas de ese tipo; hablo de que bebes como si te quisieras ir a la *(Hay otro relámpago.)*

ISMAEL:

No entiendo. Si dos personas —este— se aman, pues. . .

ANDREA:

Es un pacto entre adultos, Ismael. Se ven, se disfrutan, hace cada quien su vida: y se acabó. Dejemos en paz la vida íntima de Gina y vamos a revisar las notas de la maquiladora.

ISMAEL:

Gina, tienes que enfrentarlo. Decirle: o todo o nada.

ANDREA:

Que ya no hables de él; entre tú y yo le estamos destrozando el corazón a esta mujer.

GINA:

No, no, sigan; aunque sea mal, sigan hablándome de él.

ISMAEL:

Mira, si yo fuera él, y tú llegas a verme a mi casa y —no sé— me dices/

GINA Y ANDREA:

Imposible.

ANDREA:

Gina no puede ir a su departamento.

ISMAEL:

¿Por qué?

GINA:

Es parte de nuestro pacto. Yo no soy de ese tipo de mujeres que andan detrás de los tipos. Que los persiguen y los invaden y. . . Y no soy ese tipo de mujeres. A ver, ¿qué harías si estás en tu casa trabajando: cubitos, yo llego a media noche, te interrumpo y así de pronto te pido matrimonio?

ANDREA:

(Admonitoria.) ¿Matrimonio?

GINA:

Si llego con ese ramo de rosas rojas. . . y te digo: Ismael, hazme un hijo.

ISMAEL:

¿Esas. . .? Yo. . . te. . . eh. . .

ANDREA:

Gina, ya tienes un hijo, y te cuesta una fortuna su colegiatura de Harvard.

ISMAEL:

A mí me encantaría hacerte un hijo. Me encantaría lo que me propusieras. Cómo voy a negarte algo, a ponerte límites, a establecer prohibiciones, digo: si te amo. El amor quiere todo. . . quiere ser para siempre, si no, no es amor. Si no quiere ser eterno, es un amor indigno. Además. . .

GINA:

(A Andrea.) Oye, este muchacho es muy. . . rescatable.

ANDREA:

Sí, totalmente. Qué sorpresa, Ismael. Qué conceptazos. A ver Ismael, exprésate, expláyate.

GINA:

Orale: expláyate. Con confianza.

ANDREA:
Andale, lo que tenga que salir, que salga.

ISMAEL:
Es que. . . en el fondo eso queremos los hombres: que alguien nos tumbe todas —todas— nuestras idiotas defensas; que alguien nos invada, nos haga suyos; nos libere de nosotros mismos. Bueno, esa es mi experiencia.

ANDREA:
Sí pero tú no tienes experiencia, Ismael. *(Gina se pone en pie, va al perchero de la entrada a quitarse la bata y ponerse un impermeable y zapatos de tacón.)*

ANDREA:
Gina, ¿qué pasa?

GINA:
Voy a tumbarle todas sus idiotas defensas.

ANDREA:
¿Ahorita? Espérate.

GINA:
A su departamento.

ANDREA:
Nos citamos hoy para revisar las cuentas. Por lo menos háblale antes. Avísale que vas.

ISMAEL:
No, se trata de agarrarlo fuera de guardia.

ANDREA:
Tú cállate. Gina, supón que se molesta porque llegas sin avisar. Supón que se enoja. Supón que está con. . . Que se enoja.

Gina se paraliza.

ISMAEL:
¿Que se enoja? ¿De qué? Si se enoja, entonces le tiras en la cara las rosas y le dices adiós para siempre. Y te vas. Como toda una señora.

GINA:

Eso es: eso me gustó. Le digo adiós para siempre y me voy. . . *(Haciendo un gesto teatral.)* como toda una princesa, y luego. . . me suicido.

ANDREA:

Muy bien, pero hazlo mañana.

Gina toma las rosas del florero. Mira desde lejos la puerta de salida.

ANDREA:

Hazlo mañana. Siquiera vístete.

GINA:

¿Para qué?, si al rato me desvisten.

Gina echa a caminar hacia la puerta con aire entre majestuoso e inseguro. Trastabilla un paso hacia atrás, y recomienza hacia el frente.

GINA:

Voy en taxi.

Un resplandor ilumina su salida.

OSCURO

ANDREA:

Se fue la luz.

ISMAEL:

Por aquí había velas. . .

3. La entrada de un edificio. Llueve.
Gina pulsa un timbre.

VOZ EN EL INTERFON:

¿Quién?

SABINA BERMAN

GINA:

Yo. *(Silencio.)* ¿Me oyes, Adrián? Soy yo. ¿Adrián. . .? ¿No me oyes? No suena esta. . . *(Empuja la puerta, inútilmente.)* ¿Adrián? No suena el timbrecito para abrir, Adrián.

La puerta se abre. Adrián sale y cierra tras de sí.

GINA:

(Coloca su voz en un tono apasionado.) Adrián: hazme un hijo.

Adrián abre un paraguas.
Gina trata de comprender ese hecho.

GINA:

¿No me vas a invitar a subir?

Silencio en que se oye llover.

ADRIAN:

No puedo. Hay. . . Hay, arriba, otra, ay Dios. Otra mujer.

GINA:

Marta.

ADRIAN:

¿Qué?

GINA:

Marta, tu esposa.

ADRIAN:

No, no. ¿Cómo crees?

GINA:

Entonces, la otra, la primera, ¿cómo se llama?

ADRIAN:

¿Quién?

GINA:

Tu primera mujer.

ADRIAN:

No. No. No.

GINA:

¿Quién entonces?

ADRIAN:

No importa. Te juro: no importa.

GINA:

Dime.

ADRIAN:

No tiene nombre, no existe.

GINA:

. . .en la cara y le dices adiós. . .

ADRIAN:

¿Qué?

GINA:

. . . para siempre. ¿Me oyes?: se acabó para siempre.

Intenta golpearlo con las rosas, pero él esquiva el golpe y ella, desequilibrada, cae al piso.

GINA:

(Incorporándose.) Puta: el tacón.

Adrián se agacha para recoger el tacón que se saltó del zapato.

GINA:

A ver, tate quieto cabrón.

ADRIAN:

Tu cara, Gina. . . Tienes la cara herida.

Gina se palpa la cara: tiene cinco trazos de sangre.

ADRIAN:

No, sólo son tus deditos espinados. . .

GINA:

Es sólo sangre, Adrián. A ver, quédate quieto ahí cabrón.

Adrián obedece, se queda quieto bajo su paraguas, mientras Gina se pasea frente a él calculando el golpe. Le tira las rosas en la cara y gira en redondo y se va caminando —cojeando— bajo la lluvia. . .

Un resplandor la ilumina.

4. *El departamento. A la luz de unas velas, Andrea e Ismael. Ismael mira su reloj. Andrea mira su reloj.*

ANDREA:
Pues. . . se quedó a dormir con él. Vámonos.

ISMAEL:
Hubiera llamado para avisarnos.

ANDREA:
La pasión la obnubiló.

ISMAEL:
De todos modos hubiera llamado. ¿Cuánto le toma hablar por teléfono? Un minuto.

Andrea lo observa con una sorna enternecida.

ISMAEL:
Tal vez hay que ir a las cruces. . .

ANDREA:
Ya veremos mañana. En ese closet hay cobertores.

ISMAEL:
Sí.

ANDREA:
Me llevo la vela.

ISMAEL:
De todos modos voy a llamar a las cruces.

ANDREA:
Te mando un besito. *(Sale.)*

Ismael va a la cocina. Lo escuchamos hablar por teléfono.

ISMAEL:
Disculpe señorita, el teléfono de la Cruz Roja. 3 95 11 11, gracias. Estoy localizando a una persona. Sí, gracias. Estoy localizando a una persona. Sí, gracias. Gina Benítez. Desde hace tres días, digo: tres horas.

5. *En la oscuridad se abre la puerta. Entra Gina, sin cerrar la puerta. Choca contra un mueble tumbando un plato ruidoso: vuelve la luz: Ismael sale de la cocina con el teléfono inalámbrico.*

GINA:
Puta.

Gina está con el maquillaje corrido, empapada, revuelto el cabello.

GINA:
¿Qué me ves?

ISMAEL:
¿Qué te pasó?

GINA:
Nada. Me pasó la vida. Me fui a caminar por la lluvia. ¿Es malo, según tu experiencia? No me suicidé, estoy aquí, ahora puedes irte. Es más: ya vete, ¿no?

ISMAEL:
¿Por qué no te bañas con agua caliente y te duermes?

Gina le arrebata el teléfono, se deja caer en el sofá. Marca en el teléfono.

GINA:
Julián, Juliancito. Mami. ¿Así que te parece terrible que ahí sean las tres de la mañana? Pues aquí está mucho más cabrón porque son las cuatro. ¿Con quién estás? Oigo una voz. ¿Qué Margaret? ¿Margaret qué? ¿Déláwer?: no, Deláwer. Te digo que Deláwer, me suena conocido, Deláwer, Deláwer. Bueno, ya. ¿Y qué hacen? Ah: trigonometría. Así que van a pasarse el resto de la noche haciendo trigonometría, tú y Margaret Deláwer. ¿Por qué me mientes, Julián? ¿Por qué todos los hombres mienten? Tu padre nunca me mintió.

Gina mira el receptor: Julián le ha colgado. Ella cuelga.
Gina permanece muy quieta.

GINA:
Nunca me mintió. Creo. *(A Ismael, que se acerca a ofrecerle una copa de coñac:)* Ya te habías ido, ¿no?

Gina se alza y prende de una patada la grabadora.

ISMAEL:
Hay que arreglar ese aparato.

GINA:
No, así es.

Suena el bolero "Desdichadamente". Gina, compenetrada con la dolorosa letra del bolero, padece su mal de amores. Hasta que vuelve a notar a Ismael, que no hace sino observarla. Primero Gina se apena. Luego mira por segunda ocasión al joven, con detenimiento. Se quita el impermeable sin dejar de verlo... Ismael se entiesa. Luego se bebe la copa de coñac de un sorbo y se acerca a ella.

Bailan despacio, tiernamente, y también torpemente: Ismael no sabe bailar el bolero.

GINA:
No sabes llevar.

ISMAEL:
Llévame tú.

Siguen bailando. Hay en sus cuerpos una paulatina relajación, confianza.

6. En la oscuridad entra Adrián, una rosa roja en la mano. Se acerca. Permanece mirando a la pareja que baila.

Cuando por fin Gina lo ve, sigue bailando.

ADRIAN:
Déjanos solos, Isaac.

Ismael busca la mirada de Gina. Gina se aparta.

ADRIAN:
Déjanos, Isaac.

Ismael va hacia la puerta principal, mientras Adrián se acerca a Gina. "Desdichadamente" acaba.

Adrián reúne su cuerpo con el de Gina mientras inicia otro bolero, "Una y otra vez." Gina primero no reacciona a la cercanía de Adrián; por fin lo abraza. Bailan. Ismael, que espiaba, se va sin hacer ruido.

Adrián y Gina bailan maravillosamente bien. De pronto incluso parecen bailarines de "music hall". Bailando se van encaminando al dormitorio. Pero en el umbral, Adrián aprieta su cuerpo contra el de Gina, le alza ambos brazos, se baja la cremallera del pantalón, alza una pierna de Gina, quiere penetrarla. Aún con música de bolero empieza un forcejeo furioso entre la pareja.

Gina se zafa, corre a la grabadora, de una patada la apaga.

Larga pausa.

ADRIAN:

Está bien. ¿Qué quieres? ¿Qué es exactamente lo que quieres?

GINA:

Quiero. . . Quiero. . . dormir. . . cada noche contigo. Quiero despertar contigo, cada mañana. Quiero desayunar contigo. Quiero que vengas a comer diario aquí. Quiero irme de vacaciones contigo. Quiero una casa en el campo. Quiero que hables con mi hijo de larga distancia, que hablen de cosas de hombres, que yo te lleve un té mientras hablas con mi hijo, seriamente. Quiero que acabes con Marta, digo: formalmente; que firmes ya un acta de divorcio. Quiero un collar de oro con mi nombre. Quiero disciplinarme por fin para ir a correr cada mañana. Quiero dejar de fumar. Quiero que vengas conmigo a Ciudad Juárez para elegir el terreno para la maquiladora. Quiero otra casa junto al mar. Y quiero. . . Quiero despertar contigo. Abrir los ojos cada mañana y verte. Quiero verte y cerrar los ojos y dormirme en paz. Y quiero que en veinte años. . . me abraces. . . y me digas: la vida es buena.

ADRIAN:

Y querías un hijo mío.

GINA:

Fíjate.

ADRIAN:

Está bien.

GINA:

Y quiero que no se me olvide todo lo que yo quiero por estar pendiente de lo que tú o Julián o Andrea o todos los otros quieren.

ADRIAN:

Está bien. Ya no tomes la pastilla.

GINA:

¿Qué?

ADRIAN:

Si quieres tener un hijo mío.

GINA:

Pues sí, qué fácil, hacerme un hijo. Pero como lo demás que te pido no lo quieres/

ADRIAN:

Dije: está bien. Está bien. Está bien. Está bien.

Adrián se aproxima.

ADRIAN:

Quiero... una vida contigo. Eso es cierto. La vida contigo es buena.

Adrián la besa despacio. Se acarician.

ADRIAN:

Va a ser un niño de ojos grandes y despabilados.

OSCURO LENTO mientras siguen las caricias. . .

III

1. El departamento. Tarde. Durante la escena, de manera apenas perceptible, va enrojeciéndose la luz.

Gina abre la puerta. Es Adrián, el hombro recargado contra el quicio, un cigarro entre los labios. Está por decir algo, pero en cambio tose.

GINA:

¿Estás resfriado?

ADRIAN:

Un poco.

GINA:

Entonces no fumes. ¿Desde hace cuánto fumas?

ADRIAN:

Dos semanas. *(Busca donde tirar el cigarro.)*

GINA:

Entiérralo.

ADRIAN:

¿Qué?

GINA:

Que lo metas en la tierra de la maceta.

Gina le quita de los labios el cigarro y va a enterrarlo en la maceta del pasillo exterior al departamento. Adrián empieza a quitarse la gabardina.

GINA:

No, espérate. No te la quites.

ADRIAN:

¿De plano?

GINA:

De plano. Vamos a tomar un café fuera.

Adrián lo piensa. Camina hacia el sofá. Se sienta.

ADRIAN:

Hace tres meses que no te llamo. *(Pausa larga.)* Es mucho tiempo. Pero también, a ver si puedes comprenderme, también es muy poco tiempo. Yo sé que tu vida está hecha sin mí, que así necesitarme, no me necesitas. Ni yo a ti. Lo nuestro sucede aparte de todo lo demás. Es un regalo, un don que nos ha dado la vida. Lo nuestro sucede un poco afuera del mundo. Un centímetro, un minuto, afuera del mundo, afuera del tiempo. Así que tres meses es mucho. Y es nada. Porque ayer, ayer salí apenas por esa puerta. Ayer salí apenas de tu cuerpo.

Gina sigue de pie.

ADRIAN:

Tuve trabajo: la universidad, dos o tres editoriales peliagudas en el periódico, revisé el manuscrito del libro, lo entregué a la editorial.

Adrián espera alguna reacción de Gina. En vano.

ADRIAN:

El libro de Villa, lo entregué a la editorial.

Ninguna reacción de Gina.

ADRIAN:

Y salí a Juchitán, para reportear el fraude electoral y... En fin.

GINA:

Tres meses. Doce semanas. Ciento veinte días. Olvídate de los días: ciento veinte noches.

ADRIAN:

Con esta luz rojiza del atardecer... ahí, reclinada contra ese muro, te ves como una sacerdotisa...

Gina, con brusquedad, se mueve de la pared, va al sofá.

ADRIAN:

Griega.

GINA:

Hace tres meses llamaste y dijiste que estabas en camino. El día siguiente a cuando decidimos tantas cosas. Dijiste que te urgía hablar conmigo, ¿cómo dijiste?, seriamente. No: definitivamente, esa palabra usaste. Estuve esperándote toda la tarde. Mentira: estuve esperándote hasta la madrugada.

ADRIAN:

Lo que pasó es... No me lo vas a creer.

GINA:

Seguro.

ADRIAN:

Algo increíble. Venía en el Periférico hacia aquí. ¿Sabes dónde las vías del tren corren casi paralelas al Periférico? Bueno, había mucho tráfico, íbamos a vuelta de rueda, defensa contra defensa, y yo con esa tremenda erección que me ocurre... esa tremenda erección que me *ocurre* cuando vengo a verte. Entonces me volví a ver hacia las vías. Había un campesino, con sombrero de paja, caminando al lado de las vías. Y... el tren... llegó el tren rapidísimo, y vi cómo la cabeza del campesino saltó por el aire; fue en un instante: la cabeza saltó y luego, mientras pasaban los vagones ya no podía ver al campesino. Me aferré al volante como si hubiera visto al Diablo en persona. Cuando terminó de pasar el tren... el campesino no estaba. Se me olvidó todo, a dónde iba, pensé que había alucinado aquello. Traté de salirme del Periférico, llegar a las vías, ver si estaba la cabeza, el cadáver. Nunca llegué. Me perdí en las calles de la colonia Bondojito.

Pausa.

ADRIAN:
Así fue.

GINA:
¿Y los siguientes ciento diecinueve días?

ADRIAN:
Pues... Te juro que no sé. Tomé como una señal de mal agüero lo del Periférico. Me asustó. Tú sabes que soy supersticioso.

GINA:
Primera noticia.

ADRIAN:
Pues resulta que sí, últimamente. Me puse a trabajar como loco los siguientes días, semanas... No sé, la sensación era de que me iba a morir. Tenía esa certeza extraña: que me iba a morir... Y antes quería acabar el libro. Y lo acabé y lo llevé a la editorial.

Adrián espera una reacción de Gina. En vano.

ADRIAN:
Pero, francamente, no sé, no sé qué pasó ahí. Ahora que tú me pudiste haber llamado por teléfono.

GINA:
Nuestro pacto...

ADRIAN:

Pudiste haber roto el pacto.

GINA:

Lo rompí una vez y me arrepiento.

Adrián camina hacia una esquina. Ahí toma ánimo para seguirse explicando.

ADRIAN:

Es bien curioso: cuando te pienso, pienso en tus manos, en tu boca, tus pechos, tus piernas: en alguna parte de ti. No es hasta que te veo de nuevo que todo se reúne en una persona específica, que respira y piensa y está viva. . . Eso me da pavor, saber que aparte de mí, existes.

Gina se suelta a llorar, pero por pudor escapa al dormitorio.

GINA:

(Mientras se aleja.) No me sigas.

ADRIAN:

¿Vas a preparar el té? No, no creo.

Adrián se sienta en el sofá, entonces algo le incomoda del asiento. Busca debajo del asiento: encuentra un cubo y un corazón de madera.

ADRIAN:

Qué infantilismo, puta madre.

Guarda de prisa el cubo y el corazón bajo el asiento cuando siente a Gina volver, y finge calma.

GINA:

Adrián, mira. . .

ADRIAN:

Lo de nuestro hijo.

GINA:

No. Era una locura.

ADRIAN:

Para nada, ¿por qué? Hablé con Marta, mi esposa.

GINA:

Sé como se llama.

ADRIAN:

Dijo que ella no tenía problema. Dijo que podíamos tener un hijo.

GINA:

(Anonadada.) Ella. . . no tenía problema. . . con un hijo que yo voy a tener. Me imagino que no. No sabía que eras tan íntimo con Marta, digo: todavía.

ADRIAN:

Somos amigos. Nada más. Te cuento que le conté para que sepas que mis intenciones eran serias. Son serias. Al menos en lo del hijo. El resto, eso es lo que quería discutir, platicar contigo. Punto por punto. La casa en el campo está muy bien, pero/

GINA:

Adrián, déjame hablar.

ADRIAN:

Siéntate.

GINA:

No quiero.

ADRIAN:

Está bien, quédate de pie, estás en tu casa.

GINA:

Adrián, ya no. . . Ya no. Ya no vengas, no quiero que siquiera. . . me llames por teléfono.

ADRIAN:

¿Es decir que. . . ya no?

GINA:

Ya-no. Ya-no.

ADRIAN:

(En la histeria.) Mira qué bueno, ya no. Está bien: ya no. Perfecto, ya no. Mucho gusto en haberte conocido. Ya no, ya no. ¡Vámonos!

———————————

Adrián, entusiasta porque "Ya no", abre la puerta para irse. Allí lo espera don Pancho Villa.

VILLA:
Despacito, compañerito Pineda. Con calma. Con ternura. ¿Pa' que las quiere si no es para la ternura?

ADRIAN:
 (Regresando hasta Gina.) Siento haber desaparecido tres meses, pero. . . Todo se puede arreglar.

GINA:
No.

ADRIAN:
Todo.

GINA:
¡No!

VILLA:
Aunque no parezca está cediendo. No más toque las cuerdas más poquito a poco y de pronto canta. . .

Adrián ensaya tocarla. Ella se aparta cinco metros.

ADRIAN:
Carajo contigo: siempre me has dicho a todo sí y sí y sí; y de pronto hoy es no y no y no. No puedo estar en tu casa. No quieres tener un hijo mío. Ni siquiera puedo piropearte. Tocarte. Déjame pasar, chingados.

GINA:
Adrián. . . Estoy enamorada.

Larga pausa.

VILLA:
Ingrata. . .

Villa se vuelve. Trae una puñalada en la espalda.

ADRIAN:
General.

VILLA:

No es nada, pinche cuchillito, orita me lo saco. *(Empieza a intentar zafarse el puñal.)*

ADRIAN:

Perdón, creo que te oí mal. ¿Estás qué?

GINA:

Enamorada.

ADRIAN:

Por favor, a tu edad ese lenguaje. Enamorada. Podrías explayarte.

GINA:

No. Es muy simple: estoy enamorada.

ADRIAN:

Define el término enamorada, por favor. Defínemelo funcionalmente.

GINA:

Es muy simple.

ADRIAN:

Pero claro que no. Existe una bibliografía inmensa sobre ese estado de ilusión. Desde Platón hasta Freud y los postfreudianos, pasando por Kierkegaard y Marcuse. Enamorada. Tal vez es inquietada sexualmente. *(Villa logra sacarse el puñal: Adrián continúa, más seguro de sí mismo.)* Tal vez con cierta curiosidad sexual hacia alguien. Enamorada: esas son chingaderas, Gina. Estoy esperando una definición funcional del término.

GINA:

. . .

ADRIAN:

¿De quién?

GINA:

. . .

VILLA:

A ver si dan la cara, hijos de su madre.

ADRIAN:

Del pendejito del arete, no sé para qué pregunto. El chamaco este tuberculoso y medio maricón. ¿Ezequiel?

GINA:

Ismael.

Un estampido. Villa salta y se vuelve. Tiene un balazo en la parte posterior del antebrazo.

VILLA:

Chinga'o. Y yo aquí sólo con mi alma. . .

Mientras Villa se quita el paliacate del cuello para vendarse el antebrazo, siempre mirando con paranoia el derredor:

ADRIAN:

Está bien, vamos a analizar con la cabeza fría el asunto, ¿te parece? Me ausento tres meses y me suples con un muchachito de la edad de tu hijo.

GINA:

Mayor.

ADRIAN:

Un año mayor. Lo vas a mantener tú.

GINA:

No. ¿Por qué?

Villa empieza a cargar su pistola.

ADRIAN:

El va a pagar la universidad de tu hijo.

GINA:

Cada quien se ocupa de sus gastos. Además te sorprenderías de saber cuánto gana. Más que tú.

ADRIAN:

Ah sí, su patrón le paga bien. Quiero decir: su patrona.

GINA:

Esto no es un problema económico.

ADRIAN:

¿Le vas a subir el salario? ¿O lo vas a hacer socio de una vez?

GINA:

Cada quien se ocupará de sus gastos, ¿no oíste?

ADRIAN:

Claro, no es que se vayan a casar.

GINA:

(Sonriente.) . . .

VILLA:

Necesito agua, tantita agua. *(Yendo a la cocina.)* Usted sígale dando, mi capitán.

ADRIAN:

Bueno, y ¿qué tiene que ver eso con lo nuestro? Te vuelvo a repetir: lo nuestro es bello porque está fuera de la corriente de la vida. De la vida o de la muerte. Lo nuestro ocurre aparte. Es tú y yo. Tú y yo. A mí él me tiene sin cuidado. Te digo: si lo amas a él, yo . . . lo acepto.

Villa, al volver de la cocina, recibe otro balazo.

VILLA:

'Ta cabrón, cabrones. Ora es desde nuestras mismas juerzas que disparan.

ADRIAN:

No le puedo exigir nada, general. Es una mujer pensante. Se gana sola la vida. ¿Con qué la obligo?

VILLA:

¿Cómo que con qué? *(Se toca entre las ingles. . .)* Con el sentimiento.

ADRIAN:

Pues eso trato, pero. . .

VILLA:

Porque compartir la vieja, ni madres. Ni la yegua ni el jusil.

ADRIAN:
Por eso perdió el poder, general, por la terquedad de no saber negociar.

VILLA:
Al contrario, amiguito. Con estos perjumados no se negocia, se exige, se dispara. Porque en cuanto abre uno la puerta luego se quieren seguir hasta el fondo.

GINA:
Mejor te lo digo de una vez.

VILLA:
Ahí va.

ADRIAN:
¿Qué más?

VILLA:
No la deje hablar, chinga'o. Péguele, bésela, interrúmpala, dígale: ay desgraciada, qué chula te ves cuando te enojas.

ADRIAN:
Ay desgraciada, qué chula te/

GINA:
Vamos a vivir juntos.

Villa recibe otro balazo.

ADRIAN:
(Los ojos muy abiertos.) A vivir juntos. . . ¿Aquí?

GINA:
Sí.

ADRIAN:
Este. . . Está bien. Está bien, conseguimos/

VILLA:
¿Está bien? *(Zarandeándolo.)* ¿Está bien, mariquita? Ahí nos vimos. . . *(Se encamina hacia la puerta muy despacio, trabajosamente, y es que le duelen los balazos.)*

GINA:
¿Decías. . .?

ADRIAN:
(La atención dividida entre Gina y Villa que se va.) Que conseguimos otro lugar para nuestros encuentros. Yo no soy celoso.

Otro balazo a Villa.

VILLA:
Aj.

GINA:
(Enfáticamente.) No.

Otro balazo.

ADRIAN:
¿Por qué no? Te la estoy poniendo fácil.

GINA:
¡Porque estoy enamorada hasta las pestañas!

Otro balazo.

Villa queda tirado en el piso.
Pausa.
Villa se pone en pie dificultosamente, lleno de agujeros.

ADRIAN:
¿Está ahí?

GINA:
¿Quién?

ADRIAN:
En el dormitorio, oyendo todo.

GINA:
¿Quién?

VILLA:
Ya sal chamuco, ya sé que estás ahí.

GINA:
No hay nadie.

Villa entra al dormitorio. Adrián se mueve también hacia el dormitorio, pero Gina se le interpone. Adrián la aparta, entra. Villa saca a rastras a Ismael, lo patea sin misericordia. Por fin abre la puerta principal y lo lanza fuera. Adrián vuelve a la sala.

GINA:

No hay nadie, cómo se te ocurre.

VILLA:

Listo.

ADRIAN:

Gracias.

Adrián se pasea por la sala arreglando, reacomodando lo que se desarregló durante su tremenda discusión con Gina.

GINA:

(Abriendo la puerta principal.) Adrián. . . ¿Viniste en coche?

ADRIAN:

Está estacionado exactamente enfrente del edificio, ya me voy. Siéntate. Siéntate, te juro: ya casi me voy. Solo quiero mirarte, unos momentos. Tres momentos, los últimos, si quieres.

Gina cierra la puerta. Descansa la espalda contra la puerta.

Adrián se sienta en el sofá.
Villa se aproxima a Gina.
Largo silencio.

ADRIAN:

Sólo quiero mirarte. . .

Las cortinas, enrojecidas por la luz del crepúsculo, se mueven con un airecito lerdo.

ADRIAN:

Mirarte.

Pausa larga en que solamente se oye la densa respiración, la amenazante respiración de Villa.

GINA:

(Asustándose poco a poco:) No hagas eso.

ADRIAN:

¿No hago qué?

VILLA:

Sólo estoy viéndote.

ADRIAN:

Te juro que no pasa nada.

VILLA:

Nada más estoy viendo cómo la luz va cambiándote la cara. Siempre has sido la misma mujer. Por más que te cambie por otra, siempre has sido la misma, una sola mujer. . .

ADRIAN:

¿Sabes?: en esta luz crepuscular te ves. . . especialmente. . .

VILLA:

Verde.

ADRIAN:

Bella. Como una estatua. . .

VILLA:

De cobre oxidado.

ADRIAN:

Bella y. . .

VILLA:

Verde.

ADRIAN:

Y tan. . .

VILLA:

Una mujer más y ya, compañerito. Usted se va y ella se queda parada junto a esa puerta toda la vida, como una estatua; escúche-me bien: parada ahí, junto a esa puerta, como la misma estatua de la espera; ella se queda encerrada en su pequeño mundito y usted, pues usted encontrará otros brazos hospitalarios, siempre hay. Unos brazos más jóvenes. Más tiernos. Unos ojos más inocentes.

ADRIAN:

Gina. . . eres mi último amor. . .

VILLA:

Qué va. Estamos heridos pero no dijuntos.

ADRIAN:

Nunca volveré a entregarme así.

VILLA:

Ya acabe esto de una buena vez y me lleva al médico.

GINA:

Tal vez, si yo hubiera expresado mis deseos. . . Si no te hubiera dicho sí a todo, como dijiste antes. . . Si te hubiera pedido lo que necesitaba, poco a poco, y no de golpe en una sola noche. . . y te hubiera dado la oportunidad de decir poco a poco sí o no. . . Pero. . . te tenía miedo.

ADRIAN:

¿Miedo? ¿A mí?

GINA:

Le he tenido miedo a cada uno de los hombres a quienes amé. A mi padre, a mi hermano. A Julián. A ti.

ADRIAN:

Pero ¿por qué?

Gina lo piensa arduamente.

GINA:

Porque, no sé. . . Porque son más grandotes que yo.

ADRIAN:

Ay Gina, Gina, Gina.

GINA:

Ahora por fin tengo confianza en un hombre, pero por desgracia no eres tú.

VILLA:

Qué agonía más lenta, hijos de su madre. . .

GINA:

No Adrián: no llores Adrián.

Otro balazo sobre Villa.

VILLA:

(Agónico:) Qué ignominia.

ADRIAN:

Estas lágrimas son de rabia. *(Respira con dificultad.)* A mí no me puedes hacer esto. *(Está sofocándose.)* A mí no.

GINA:

Ahora sí por favor Adrián, ya vete.

ADRIAN:

No puedes. No puedes. Te juro que no puedes.

VILLA:

Así compañerito, así.

ADRIAN:

Y no puedes porque/

VILLA:

Ya mátela, compañerito. A luego echamos discurso.

ADRIAN:

Yo no soy ese chamaco que. . .

VILLA:

De una vez.

Villa toma la cacha de su pistola. Adrián mete la mano en la bolsa de su impermeable.

Adrián desembolsa, como un revólver, su libro. Villa desenfunda y dispara: no hay balas.

GINA:

¿Qué es esto? ¿El libro de Villa?

ADRIAN:

. . .

SABINA BERMAN

GINA:

No me dijiste que ya salió. Dijiste que lo entregaste a la editorial pero no que ya estaba impreso.

Villa se desploma en una silla. Adrián le da el libro a Gina.

GINA:

Lo voy a leer con mucho cuidado.

ADRIAN:

(Ahogándose de rencor.) Conoces el material.

GINA:

No importa. Lo voy a leer con detenimiento. Qué bien, ¿eh? Villa en la portada, a caballo. *(Villa, curioso, se acerca a verse en la portada.)* En la contraportada tú, al escritorio. Te ves muy interesante. Y muy guapo. La tipografía es perfecta. *Currier* de once puntos. Muy legible.

ADRIAN:

Currier súper.

Adrián se aparta. Se pasea, mirando las cortinas enrojecidas.

GINA:

Me alegro por ti, Adrián.

VILLA:

(En secreto a Adrián.) Ya chingamos.

ADRIAN:

(Plañidero.) Te lo dediqué.

GINA:

(Muy sorprendida.) ¿El libro? ¿En serio?

VILLA:

No sea joto, cabrón.

GINA:

Nunca me imaginé. . .

ADRIAN:

No, ¿verdad? Aquel día que no llegué, venía a proponerte matrimonio. Tampoco eso te lo imaginaste, ¿no?

GINA:

Pero Adrián. . .

ADRIAN:

¿Qué?

GINA:

Es que estás todavía casado, Adrián.

VILLA:

(Desenfundando.) ¿Y. . .?

ADRIAN:

Eso también lo pensaba arreglar. La verdad es ésta: nunca me tuviste fe.

GINA:

Pues. . . no, supongo que no, que nunca te tuve fe. Te digo: nunca me imaginé que me dedicaras tu libro y ahora. . . no sé. . . qué pensar, o hacer. . . No creí que yo para ti fuera así de. . . importante. . .

Gina, conmovida, se sienta junto a Adrián. Adrián pasa su brazo sobre los hombros de ella. Villa queda entre ambos, gozando el reencuentro de los amantes.

Gina busca las primeras páginas del libro. Lee. Sacude la cabeza.

GINA:

Ah, a mano. ¡Me lo dedicaste a mano! "A una querida amiga, apasionada como yo de Pancho Villa".

VILLA:

No, está cabrón, güero.

GINA:

No Adrián, ahora sí te voy a pedir que te largues.

VILLA:

Mátela, no tiene remedio.

ADRIAN:

Es tan irresponsable, dejarse arrastrar así por el instinto. Lo nuestro era una hermosa relación de lascivia, pero tenías que dejarte arrastrar por ese instinto de las hembras de hacer nido. Tenías que convertir nuestra pasión en un asunto de baños compartidos y biberones y recibos de tintorería. Tenías que atraparme aquí en tu casa, tenías que comportarte como "toda una mujer".

GINA:

Por eso: ya vete, Adrián.

VILLA:

Por eso, ya mátela, con sus propias manos.

ADRIAN:

Está bien, voy a divorciarme, de todos modos era sólo un trámite que no hacía por desidia/

GINA:

No quiero.

ADRIAN:

Aquel día venía a proponerte/

GINA:

Adrián por favor, ya vete.

VILLA:

Adrián, por favor: ya mátala. . .

Adrián observa el lugar con extrañeza. Se aparta de Gina y Villa, se pasea nerviosamente, ensimismado.

GINA:

Adrián.

VILLA:

Adrián.

Pausa.

GINA:

Adrián. ¿Qué esperas, Adrián?

VILLA:

¿Qué esperas, Adrián?

Pausa.

GINA:

¿Podrías ya irte? ¿Adrián?

VILLA:

¿Podrías ya torcerle el cogote, Adrián?

Adrián corre hacia el ventanal y salta.
Larga pausa.
Gina corre al ventanal, lo cierra, se vuelve, boquiabierta.

GINA:

Pero si siempre he vivido en planta baja.

Villa se desploma, muerto por fin, de vergüenza.

OSCURO LENTO

IV

1. Noche. Las luces eléctricas del departamento van subiendo. Tocan a la puerta. Andrea sale del dormitorio, cruza la estancia mientras se da "un pericazo" de coca. Abre.
Es Adrián, el hombro contra el quicio. Trae un sombrero de fieltro viejo, abollado, un suéter sin camisa abajo, una barba de tres días.

ANDREA:

La miras. . . fijamente. Respirando fuerte. La besas. Ella dice: espérate, siéntate, te sirvo un té.

ADRIAN:

Te lo contó todo, Andrea. Andrea, ¿verdad?

ANDREA:

Andrea Elías, Adrián. ¿Por qué no? Es mi mejor amiga.

ADRIAN:

Está en casa.

SABINA BERMAN

ANDREA:
No.

ADRIAN:
No ha vuelto desde que hablé contigo por teléfono.

ANDREA:
Ponte cómodo. *(Va a la cocina.)*

Adrián obedece, extrañado del tono de autoridad de Andrea. Cuelga en el perchero el impermeable.

ADRIAN:
¿A qué horas vuelve? *(Va hacia el ventanal, se asoma, pero retrocede instintivamente lleno de vértigo. Vértigo del recuerdo de su suicidio fallido.)* Planta baja. *(Furioso.)* ¿A qué horas vuelve?

Andrea regresa con una charola en la que se encuentra el servicio de té. Lo deja en la mesita baja y se arrodilla para servirlo.

ADRIAN:
¿A qué horas/

ANDREA:
No está en la ciudad. Me pidió que si la llamabas no te dijera en dónde está.

ADRIAN:
¿Por qué?

ANDREA:
Porque hace un mes, a las dos de la mañana, cuando no te quiso abrir la puerta de la entrada al edificio, la rompiste a patadas.

ADRIAN:
Tú preparas muy rápido el té.

ANDREA:
Puse a hervir el agua cuando avisaste que venías.

ADRIAN:
Estaba ebrio. Y estaba desesperado. Y tenía que hablar con ella. Con alguien como ella: alguien comprensivo.

ANDREA:

¿Dos de azúcar?

ADRIAN:

Alguien que ve el vaso medio lleno y no medio vacío. Es que estuve esa tarde en el entierro de Villa.

ANDREA:

¿Dos de azúcar?

ADRIAN:

Quiero decir: el aniversario del entierro de. . . El aniversario de la muerte de Villa, en el cementerio. *(Andrea está sirviendo cinco cucharadas de azúcar en el té de Adrián. . .)* Se me destrozó el corazón, y necesitaba ver a Gina. ¿Es té de tila?

ANDREA:

No. De lirio. Es té de lirio, Adrián. ¿Está sabroso?

ADRIAN:

(Oliéndolo.) No. No tomo té.

ANDREA:

¿Y a poco había gente, en el panteón?

ADRIAN:

Mucha. Como setecientos, entre hijos y nietos de Villa. Era como para llorar. Vinieron de todo el país y ahí estaban: morenos y con esos ojos del Centauro: azul turquesa, nítidos, como dos gotas de cielo. De cielo puro. Habían algunas viudas también, ya muy ancianas. Y estaban quietos, los hijos, los nietos, las mujeres de Villa, mirando la tumba. Gente humilde. Analfabetas muchos. En huaraches la mitad y los otros con zapatos viejos. Como para llorar, en serio. ¿De qué sirvió la Revolución, la lucha del general Villa, si sus nietos están igual de chingados que él de escuincle? A otros les hizo justicia la Revolución, a los que no estaban junto a esa tumba: a los burgueses. Los perjumados. Los leídos. Los licenciados. La punta de sinvergüenzas.

ANDREA:

Pues es que tuvo demasiados hijos, ¿no te parece? Sembró niños como si fueran quelites.

ADRIAN:

No sabes lo que dices. Todos sus nietos adoran su memoria. Es lo único valioso para ellos: la memoria del Centauro.

ANDREA:

Eso es lo que digo: que lo único que les dejó fue eso: su memoria. Ni educación, ni oficios. Sólo su sombra inalcanzable.

ADRIAN:

Habló la oligarquía ilustrada.

ANDREA:

Y entonces te embriagaste.

ADRIAN:

Me rompieron el corazón los hijos de Villa y sí, me fui a beber a La Guadalupana, de Coyoacán, y no bebí mucho, pero como nunca bebo, me embriagué, y luego necesitaba verla, a Gina, hablar con ella.

ANDREA:

De Villa.

ADRIAN:

De Villa. ¿Sabes que esa tumba está vacía?

ANDREA:

La de Villa.

ADRIAN:

Es que algunos dicen. . . que en realidad. . .

ANDREA:

¿En realidad. . .?

ADRIAN:

Villa se salió solito de la tumba.

ANDREA:

Como Cristo.

ADRIAN:

Ey, como Cristo resucitó y salió de la tierra, cargando con todo y lápida.

ANDREA:

Como el Pípila.

ADRIAN:

Ey. Y que anda vivo. San Pancho Villa. Cabalgando por ahí. Y bueno, por ahí anda, ¿no?, cabalgando en nuestra imaginación, al menos. En nuestros ánimos de redención. No sé porque te cuento esto. Digo: no te conozco.

ANDREA:

No te preocupes, me gusta oírte. Tu labia es hipnótica. También me gustó tu novela de Villa.

ADRIAN:

Ah.

ANDREA:

La compré en Vip's. Y la leí en Vip's. Es chiquita.

ADRIAN:

(*Molesto.*) ¿A qué horas dijiste que vuelve?

ANDREA:

Se fue de la ciudad. Se fue del país.

ADRIAN:

No es cierto.

ANDREA:

Me vendió el departamento con todo incluido. Todo.

Adrián se pasea nerviosamente. Se detiene frente a un cuadro que antes no estaba. El retrato al óleo del presidente Plutarco Elías Calles, la banda tricolor cruzada al pecho.

ANDREA:

Mi abuelito Plutarco. Un perjumado.

ADRIAN:

Ya. ¿A dónde está?

ANDREA:
Me pidió que no te dijera.

ADRIAN:
¿Con el pendejito ese?

ANDREA:
Con Ismael, sí.

ADRIAN:
¿En dónde?

ANDREA:
No puedo decirte.

ADRIAN:
En Ciudad Juárez, viendo lo de la maquiladora.

ANDREA:
. . .

ADRIAN:
Pues voy a ir a Ciudad Juárez y voy a peinarla.

ANDREA:
De hecho no está en Juárez. La maquiladora se está montando, pero Gina decidió retirarse medio año de los negocios y está. . . lejos.

ADRIAN:
¿En dónde?

ANDREA:
Ay, no puedo decírtelo.

ADRIAN:
¿Por qué?

ANDREA:
Te dije: porque rompiste a patadas la puerta del edificio.

ADRIAN:
¿Y qué? Era mi derecho, tratar de recuperarla. Andrea: he cambiado. No sé que te habrá contado ella de mí pero he cambiado. La necesito.

ANDREA:
Okey.

ADRIAN:
Por fin, humildemente, sin ningún pudor, reconozco que la necesito. La necesito.

ANDREA:
Okey.

ADRIAN:
No digas okey, eso no es español. Tienes que ayudarme, Andrea. Estoy desolado. Desmadrado. Desvaído. Más calvo.

ANDREA:
Ah, no eras así de calvo.

ADRIAN:
Para nada. Hace dos meses no tenía estas entradas.

ANDREA:
Qué terrible.

ADRIAN:
Me duelen las encías. Me sangran. Fui a ver al dentista y me dijo: Lo suyo es mental. La necesita mi cuerpo. Mi alma. Esta melancolía, este anhelo por un fantasma, me está desgraciando el cerebro. El otro día pensé seriamente en inscribirme en la Meditación Trascendental. Hacerme místico, a mi edad, con mi pasado de materialista dialéctico.

ANDREA:
¿Y te inscribiste?

ADRIAN:
No. No me pareció la pinta del Gurú. Demasiado sonriente, si sabes lo que quiero decir.

ANDREA:
No.

ADRIAN:

Quiero decir, viniendo de India, un país que se muere de hambre, y él sonriendo... Sonriendo ¿de qué? ¿De que India no tiene leche pero sí una bomba atómica? Es decir: me ponen un video del gurú sonriendo compulsivamente durante cuarenta y cinco minutos y lo que hice fue romperle la madre al instructor.

ANDREA:

Golpeaste al instructor de meditación...

ADRIAN:

Se me zafó el golpe. No importa. El hecho es que...

ANDREA:

A ti no te importa, pero al instructor...

ADRIAN:

(Alzando la voz, para callarla.) El hecho es que... Es que... Siempre cargué el mundo en los hombros, ahora cargo mi destino personal, y es un peso más grave, porque a su peso específico hay que agregarle el de saber que no tiene la menor importancia. No me entiendes.

ANDREA:

Perfectamente.

ADRIAN:

Qué va.

ANDREA:

Dices que estás agobiado por la mediocridad de tu vida.

Adrián camina, molesto por la interpretación de Andrea.

ADRIAN:

No exactamente. *(Va a sentarse al lado de Andrea.)* Andrea, seamos sensatos.

ANDREA:

Okey.

ADRIAN:

Tú sabes que no le puede resultar con ese muchachito.

ANDREA:

Mira Adrián, no digo para nada que Ismael sea mejor que tú. Según lo que sé de ambos, no lo es en varios sentidos. Tú eres más maduro, al menos físicamente; más leído, aunque quién sabe para qué sirve eso; eres mejor amante, como amante estás mejor equipado... dicen... no te hagas... En fin: rompes mejor las puertas a patadas, te tiras mejor por los balcones. Pero...

ADRIAN:

¿Pero...?

ANDREA:

Ese muchachito es capaz de tenerle devoción. Verdadera devoción, ¿entiendes?

ADRIAN:

Ese muchachito es homosexual, Andrea. Yo los huelo. En serio. Los homosexuales que no saben que son homosexuales tienen ese olor peculiar: a manzana.

ANDREA:

Es cierto: a manzana.

ADRIAN:

¿Verdad que sí?

ANDREA:

Pero todos los jóvenes vírgenes huelen a manzana, Adrián.

ADRIAN:

Yo lo único que sé es que quiero despertar por las mañanas con ella. Desayunar con ella. Mirarle sus pinches ojeras... Andrea, escúchame: ella también me necesita. Necesita a un hombre maduro, inteligente, conceptuoso, que la haga crecer, ¿o no? Díselo. Por favor.

ANDREA:

(Luego de tomarle las manos, íntima, cariñosa.) No, no Adrián. Y te voy a rogar que ya no seas tan típico, por favor. Lo que sucede es que no soportas haber perdido, eso es todo. Perder ahuita.

ADRIAN:

Perder ahuita. Ahuita. ¿Ahuita de beber?

ANDREA:

Ahuita: entristece. Del verbo ahuitar. Yo ahuito, tu ahuitas, vosotros ahuitáis. Perder es malo para la salud. Pero hay cierta dignidad que emerge siempre en la derrota. Cierta nobleza que nos sale. Cuando perdemos o nos enfermamos, eso que nos hace sobrevivir, ese impulso, esa voluntad cósmica que nos hace sobrevivir a pesar de todo, se nos revela. Y como se te reveló a ti, fuiste a inscribirte en la Meditación Trascendental, ¿no es cierto? Pero no te convenció el ambiente.

ADRIAN:

Es que el Gurú este traía collares y el pelo hasta aquí *(los hombros)* y una rosa en la mano. Una rosa, puta madre, en la mano.

ANDREA:

No, no, lo que necesitas es dejar de preocuparte por tu destino y ocuparte de él.

ADRIAN:

Dejar de preocuparme y ocuparme de. . . ¿Cómo?

ANDREA:

(Acariciándole una mejilla.) Rompiendo con el pasado. Entregándote a lo que llega. Mirando lo presente. Lo pasado, pasado, Adrián. Tienes que mirar lo que está frente a ti. O sea: enfrente. De plano: enfrente.

Se miran largamente. . . Andrea le toca los hombros.

ADRIAN:

Están tensos.

ANDREA:

Como de piedra.

Andrea le masajea los hombros. El suspira.

ADRIAN:

Yo. . .

ANDREA:
Shh. . .

Andrea lo sigue masajeando.

ANDREA:
¿Mejor?

ADRIAN:
Mejor.

ANDREA:
Bien. Párate. Los brazos: suelta los brazos.

Ambos se paran.
Andrea lo tiene tomado de ambas manos. Sacude sus brazos.

ANDREA:
Flojo, flojo. Abrázame.

Adrián duda.

ADRIAN:
Es que no te conozco.

ANDREA:
Te voy a tronar la espina dorsal. Abrázame.

Adrián la abraza. Ella lo truena tres veces.

ANDREA:
Siéntate. En el sofá. Las manos.

Se sientan. Ella le masajea las manos. El grita de dolor.

ANDREA:
Sopla, sopla, sopla. Son puntos de tensión, relájate.

ADRIAN:
De veras no sé qué hacer conmigo mismo. Lo de Gina, haber terminado lo de Villa también. Me quedé sin proyecto de vida. . . No
hay héroes vivos alrededor nuestro; la revolución está muerta: la
de 1910, la asesinó precisamente tu abuelito *(Grita de dolor por
un punto de tensión que Andrea le toca. . .). . .*

ANDREA:
Sopla, sopla, sopla.

ADRIAN:
Y la revolución de mi generación, ni siquiera la hicimos... Así que sí, "me agobia la mediocridad". Me agobia voltear y ver la punta de sinvergüenzas que detentan el poder en nuestra época. Puta madre, no sé de dónde saqué que el mundo podía ser justo, y no el compendio de pequeñeces e indecencias que me dedico a delatar en el periódico desde hace quince, veinte años. Estoy exhausto, Gina.

ANDREA:
Andrea.

ADRIAN:
Andrea.

ANDREA:
(Sacudiendo las manos porque el masaje ha terminado.) Estabas cargado, papacito.

Pausa.

ADRIAN:
¿Sabes algo? En serio te pareces al general Plutarco Elías Calles.

ANDREA:
¿Por qué no? Soy su nieta.

ADRIAN:
Pero en esta luz, más. Se te forman sombras curiosas. *(Tocándole el rostro con el dedo índice.)* Alrededor de los ojos, por ejemplo, de manera que los ojos se te ven más negros. Como si de valeriana. Chiquitos y de valeriana negra, casi azul: como los de él. Y en el labio superior, es decir: arriba del labio superior, tienes otra sombra, y parecería que llevas, como el general, un bigotito.

ANDREA:
¿En serio?

ADRIAN:
Un bigotito.

El le marca con el índice el lugar del bigotito. . . Ella, enternecida lo besa en el cuello.

ANDREA:
Oye Adrián. . ., ya en serio. ¿Por qué no escribes sobre don Plutarco?

ADRIAN:
¿Sobre tu abuelo?

ANDREA:
(Besándole el cuello entre frases.) Tengo su archivo personal, ahí en mi cuarto. Como soy la menor de sus nietos, y lo conocí poco, me tocó en herencia.

ADRIAN:
Con algunas propiedades además, supongo.

ANDREA:
Por supuesto, por supuesto. *(Apartándose.)* ¿Qué pasa?

De la cocina ha entrado Doña Micaela.

DOÑA MICAELA:
Ya acabé, señora.

ANDREA:
Ay doña Mica, le pago el martes, ¿sí?, no tengo cambio.

DOÑA MICAELA:
Sí. Compermiso. *(Va a la puerta principal. . .)*

ADRIAN:
Propio.

DOÑA MICAELA:
Gracias. *(Sale.)*

ANDREA:
Volviendo a lo del archivo. *(Abraza a Adrián.)* Hay papeles inéditos, bastante sorprendentes. Hay documentos que en su época fueron secretos. Sería un libro revelador. . .

ADRIAN:
No. Haría pedazos a tu abuelo. Maldito burgués nepotista corruptor vende Patrias jijo de la chingada. Es decir: lo haría mierda.

ANDREA:

No creo que le importe. Ya está hecho ceniza.

Andrea va al librero y busca entre los libros. Saca el libro de Villa. Lo abre.

ANDREA:

Voy a citarte. Lo tengo marcado con un separador de plata y subrayado con plumón amarillo. *(De una patada prende la grabadora. Suena un danzón.)* "Es en Plutarco Elías Calles en quien cristaliza definitivamente la traición a la revolución popular de Zapata y Villa".

ADRIAN:

Eso dice.

ANDREA:

Bonita frase.

ADRIAN:

Pues es cierto, aunque esté regularmente escrito.

ANDREA:

Pruébamelo.

ADRIAN:

¿Perdón?

ANDREA:

Que me lo pruebes. Sí, sí, estás entendiendo bien: investiga, sistematiza el material confidencial de don Plutarco, y compruébamelo, pero por escrito.

ADRIAN:

Ja. *(Se ríe quedo, mirándola. Se acerca a ella. La mira todavía.)* Ja. El bigotito... Ja.

Andrea lo besa en los labios, brevemente.
Adrián no reacciona, pero no se aparta.

ADRIAN:

Ja.

Andrea lo vuelve a besar, largamente.

Entra la punta de un cañón. El cañón sigue entrando. Villa, pálido como un fantasma, agujerado de balazos, entra montado en un cañón. . .

ADRIAN:

Puede ser. ¿Por qué no? Puede ser.

Andrea lo besa brevemente.

De golpe Adrián se alza en pie, cargándola. La lleva al dormitorio, mientras Villa termina de entrar sobre el cañón.

2. *Villa mueve la manivela para desplegar el cañón telescópico. Es inmenso, impresionante, cruza la escena entera.*

Villa prende la mecha del cañón. . . Dispara.

Pero la punta del cañón cae al suelo.

Entra a la sala, desde el dormitorio, Andrea, en la bata japonesa de Gina. Viene molesta, irritada. La irrita todavía más la pequeña bala que cae del cañón y bota en el suelo. Va al bar a servir dos copas de coñac.

3. *Adrián regresa a la sala con sus zapatos y calcetines en las manos.*

Pausa.

ADRIAN:

No. . . pude, y creo que. . . creo que, por un rato. . . no voy a poder. . .

Se encamina a la puerta.

ADRIAN:

. . . no voy a poder. . . olvidarla.

Sale.

Andrea se queda sola, dos copas de coñac en sendas manos.

OSCURO

Muerte súbita

Segunda versión 1991

Muerte
súbita

P e r s o n a j e s :

Gloria (de unos veinticuatro años)

Andrés (de unos treinta años)

Odiseo (de unos treinta años)

Gloria es una mujer indiscutiblemente bella; lo sabe de sobra y ya no le importa. Habla en un tono sensual; esto es un rasgo adquirido a los doce años, y desde hace mucho ha dejado de ser propositivo: es pues un rasgo caracterológico, y por lo tanto, un límite en sus afectos. Cuando por ejemplo se enoja, lo hace en una forma tan coqueta que nadie la toma en serio. De hecho se encuentra en una etapa de transición, intentando romper con su gracia "femenina" para lograr otra variedad de conductas.

Andrés es un joven escritor, obsedido con su responsabilidad hacia su propio talento. Su amabilidad es un dejar ser, un despreocuparse por los demás.

Odiseo es también escritor. Es hipertenso. Habla seguido en descargas rápidas, agudas, agresivas. Y guarda silencios duros. Es una persona de carne y hueso que ha asumido una misión mítica.

La acción transcurre en el último piso de un edificio citadino. El techo es alto y se han tumbado las paredes intermedias entre las habitaciones, de manera que sólo hay una estancia bastante amplia, un cuarto de baño y una pequeña cocina.

En la estancia: una mesa donde hay varios fajos de hojas dispuestos en un aparente desorden, una máquina de escribir, un despertador electrónico; dos sillones viejos, un librero y una consola de sonido; una cama amplia con sábanas negras de satín y detrás un tubo del que cuelgan ropas de mujer y unas tres o cuatro prendas masculinas. Hay una puerta de entrada y un acceso a la escalera de incendios. Un ventanal. Una pared está recorrida por una línea de color, a setenta centímetros del suelo y paralela a él: sirve para jugar squash. Cuando se juega squash (aunque sin raqueta), los jugadores saltan sobre los muebles, usándolos como parte del terreno de juego.

Muerte súbita en su primera versión fue estrenada en octubre de 1988 en el Teatro Granero de la ciudad de México con el siguiente reparto:

Gloria: Patricia Bernal
Andrés: Miguel Angel Ferriz
Odiseo: Alejandro Camacho

Dirección: Héctor Mendoza

Producción: Pedro Sainz y el INBA

1. *Bajo las sábanas negras dos cuerpos quietos casi: de cuando en cuando se mueven. Sus voces se oyen apenas.*

VOZ DE MUJER:
Ahí. . .

Pausa.

VOZ DE MUJER:
Ahí. No, por favor no —no-no-sí-sí— por favor sí: ahí. . .

Pausa.

VOZ DE MUJER:
¡Ay!

Pausa.
Por la ventana aparece apenas el perfil de un hombre con un pasamontañas; asoma y luego desaparece.

VOZ DE MUJER:
Ay más, más. . .

VOZ DE HOMBRE:
Sí. Sí. Sí.

VOZ DE MUJER:
    Más. Dios. . .

VOZ DE HOMBRE:
    Sí.

VOZ DE MUJER:
    ¡Dios!

Suena el reloj despertador colocado en la mesa.

Andrés salta de la cama y va a apagarlo, cerrándose el pantalón de pijama. Se sienta a la mesa, se pone unos lentes de arillo redondo, toma unas hojas, empieza a leer y a corregir con un lápiz. Gloria asoma de entre las sábanas. Se sienta contra el espaldar de la cama.

GLORIA:
    ¿Cómo?: ¿ya? ¿The end?

ANDRES:
    ¿Preparas café?

GLORIA:
    ¿Y qué supones que voy a hacer el resto del día?

ANDRES:
    Sonó el despertador.

GLORIA:
    ¿Extrañarte? *(Baja de la cama, va al baño.)*

ANDRES:
    Prepara el café, ¿sí?

GLORIA:
    ¿Ir por la calle suspirando por ti?

ANDRES:
    Y dos aspirinas por favor.

Gloria azota la puerta del baño.

ANDRES:
    (Refiriéndose a las hojas.) Ahora sí. Por fin: sí. Complejo y sin embargo armonioso; fuerte, sincero, etc., etc., etc. ¿Pero cómo logró tanta claridad, Andrés? Las musas me inspiraron, como dirían los

antiguos. Luego sólo fue cosa de escribirlo y reescribirlo y reescribirlo y. . . reescribirlo.

OSCURO LENTO. Un encendedor prende la punta de un cigarro.

2. *Gloria procede a ponerse unas medias negras de liguero. Es un acto glamoroso que Andrés, fumando despacio, atestigua.*
Silencio.

ANDRES:
Hoy acabo la novela.

GLORIA:
. . .

ANDRES:
Sí, ya sé: hace un mes dije "hoy acabo". Sólo que desde entonces ha sido preparar todo para que hoy, en efecto, los mil y un nudos de la novela se desnuden. *(Corrigiéndose.)* Desanuden. Gloria, ¿y el café? *(Ella no responde.)* ¿El café, Gloria?

GLORIA:
(Con sensualidad.) Que te lo traiga tu madre.

ANDRES:
Tú también tienes que ir a trabajar.

GLORIA:
Pero si tú te hubieras despertado hoy con la firme decisión de irte, no sé, para siempre al Tibet, yo hubiera dejado colgados a los tipos del comercial, no lo hubiera pensado dos veces, me iría contigo, dejaría todo. Y tú no puedes dejar sonando a un despertador.

ANDRES:
Está bien: yo preparo el café. *(Va a la cocina a poner a calentar el agua.)*

GLORIA:
(Para sí, a solas.) Y lo peor es que hasta mañana tengo cita con mi psicoanalista.

ANDRES:

(Desde la cocina.) Lo que pasa es que a ti te esperan treinta tipos para que digas siete palabras y a mí no me espera nadie. Si yo mismo no soy mi capataz y mi esclavo, mi gurú y mi devoto, no soy nada ni seré nada ni nunca fui nada.

GLORIA:

Y tú crees que para mí todo es fácil. Nada más por mi linda cara.

ANDRES:

No. También por tu lindo cuerpo.

GLORIA:

Me desprecias gacho.

Andrés vuelve con un vaso de agua y una tira de pastillas.

ANDRES:

¿Aspirinas?

Se ponen a tragar aspirinas, dos cada uno, mientras hablan.

GLORIA:

Seguro es un problema edípico.

ANDRES:

¿Qué?

GLORIA:

Que te ame.

ANDRES:

Ah.

GLORIA:

Seguramente te confundo con mi padre a quien mi madre amaba tanto pero que no tenía tiempo para amarla porque estaba enamorado de su fábrica.

ANDRES:

Prozac. *(Le da uno, bebe otro.)*

Andrés se sienta a la mesa para volver a revisar con un lápiz las hojas. Escribe mientras Gloria, que va al baño, habla.

GLORIA:

O sea que inconscientemente soy mi abnegada madre aunque más inconscientemente quisiera ser una forjadora de tornillos. *(Se observa en el espejo del lavabo.)* Una forjadora de tornillos. *(Cambia de pose en el espejo. De pronto grita.)*

ANDRES:

¡¿Ahora cuál es la bronca, carajo?!

GLORIA:

Ay, ay dios, ay.

Andrés corre a ver qué pasa. Gloria, en un rincón, aterrada, señala con el índice un punto.

GLORIA:

Esa araña. ¿La ves?

ANDRES:

Uf... qué increíble.

GLORIA:

Mátala.

ANDRES:

Cómo crees. Mira: parece un tigre.

GLORIA:

Qué exagerado, dios. Deja. *(Toma una toalla y la alza.)*

ANDRES:

¡No la mates! ¡Mírala!: mira su rayado amarillo y negro; sus ojitos como dos puntos de turquesa; la elegancia con que se mueve...

GLORIA:

Es venenosa.

ANDRES:

Un pequeño prodigio.

GLORIA:

Una chingaderita mortal.

ANDRES:
ㅤ¡Qué no la mates! Es mal karma. Vamos a recogerla con este cepillo de dientes. . .

GLORIA:
ㅤEl mío. . .

ANDRES:
ㅤAbre la ventana.

GLORIA:
ㅤ*(Abriendo la ventana.)* Sí: Tírala.

ANDRES:
ㅤLa vamos a poner afuerita de la ventana. . . y ella solita se va a ir a buscar un parque con flores. . .

GLORIA:
ㅤTiene que bajar cinco pisos, caminar una cuadra, cruzar avenida Insurgentes. . .

ANDRES:
ㅤEncontrará en el camino alguna maceta. *(Pone ambas manos en la cintura de Gloria. Ella se aparta, él la atrae hacia sí con violencia.)* Gloria, ¿sabes por qué trabajo tan duro? Para ser alguien a quien puedas dedicar tu vida ya sin tener dudas, ¿me entiendes?; sin preguntarte si valgo la pena.

GLORIA:
ㅤNo, no entiendo: si yo soy la hija de mi papá, ¿cómo es que tú saliste idéntico a él?

Andrés le besa un pezón y luego el otro.

ANDRES:
ㅤEste es el pezón de lento despegue y éste el instantáneo. *(Le besa un pezón y luego el otro.)* Este es el prendido y éste el circunspecto.

GLORIA:
ㅤCircunspecto.

ANDRES:

¿Te digo qué quiere decir circunspecto? *(Le besa un pezón y luego el otro.)*

GLORIA:

(Dulce.) No, no.

El sigue besando.

GLORIA:

Vamos a cambiarnos.

Andrés aparta los labios de los pezones, cortado.

GLORIA:

Digo: el edificio está vacío, los últimos inquilinos se fueron hace meses. . .

ANDRES:

Los corrió tu hermano, no se fueron.

GLORIA:

Quiere hacer un estacionamiento, ¿qué tiene de malo?

ANDRES:

Que tumbar un edificio art-déco es un pecado. Un pecado de avaricia.

GLORIA:

El pasado temblor casi lo tumbó. Andrés, se está cayendo de por sí, mira esa grieta. En el próximo temblor/

ANDRES:

Donde empecé la novela la acabo, punto final. ¿Estábamos de acuerdo hasta ayer, no?

GLORIA:

Sólo que ayer se lo expliqué a mi loquero y no entendió, y mientras más se lo explicaba, yo —yo ya no entendí—. O sea: tu primera novela la escribiste sin saber cómo ni dónde: en cantinas, mientras trabajabas en el INBA, en bancas de parque/

ANDRES:
Pero mi segunda novela, que escribí con todo conocimiento de causa/

GLORIA:
Fue un fracaso. ¿Entonces?

ANDRES:
No fue un fracaso. Lo que sucedió/

GLORIA:
¿No fue un fracaso? La noche en que me conociste te pregunté qué hacías en la vida y me contestaste/

ANDRES:
Bueno, fue un/

GLORIA:
El ridículo, me contestaste. Voy por la vida haciendo el ridículo.

ANDRES:
Está bien: fue un. . .

GLORIA:
. . . fracaso.

ANDRES:
No lo repitas, por favor: me hiere.

GLORIA:
Por eso, si fue un *(En voz baja.)* fracaso/

ANDRES:
Gloria, escucha. Fue un. . ., en fin, porque me dieron una beca y me senté a escribirla con toda calma en el departamento de un amigo; y en la página 328 me la llevé al mar, para escribir frente al mar la conclusión. Y la desgracié, la conclusión.

GLORIA:
La conclusión.

ANDRES:

Ajá. El final tenía otro aliento, otro ritmo. Así que reescribí todo, de principio a fin, y desgracié todo de principio a fin. Ya sabes este rollo.

GLORIA:

Así es.

ANDRES:

Bueno, ahora reconozco que de lo que he escrito aquí, no sé cuánto depende de mí y cuánto de las vibraciones acumuladas en estos ladrillos. En esa grieta. Vibraciones acumuladas durante un siglo, Gloria. Si me voy lejos de esa grieta, no sé, más bien sé de cierto que la novela no tendrá unidad. *(La mira a los ojos.)* ¿Entiendes?

Gloria mira de soslayo, con recelo, la grieta y luego a Andrés.

ANDRES:

¿Entiendes?

Gloria se muerde el labio inferior. Andrés se acerca y la besa en los labios.

ANDRES:

(Intimo.) ¿Sí entiendes?

GLORIA:

Bye. *(Va por su bolso de mano.)*

ANDRES:

Gloria, dices tus siete palabras y vienes directo a casa.

Gloria suspira. Se encamina a la salida, Andrés va a sentarse a la mesa.

GLORIA:

(Antes de salir.) No son siete. Sólo una. "Uva".

ANDRES:

Bueno, la dices y regresas.

GLORIA:

Bye. *(Sale.)*

Andrés enciende la máquina de escribir. Alza el rostro pensativo.

ANDRES:

Capítulo doce.

Andrés sigue pensándolo. Toma un cepillo de dientes, se cepilla los dientes sin pasta. Toma un cigarro, lo enciende.
Coloca los dedos sobre el teclado.
Suena el teléfono. Andrés cierra los ojos. El teléfono suena dos veces, y la contestadora responde.

VOZ DE GLORIA EN LA CONTESTADORA:

Este es el 574 89 32. No estamos en casa. *(Andrés: "No estamos en casa...")* Pero nos encantaría oír todo lo que puedas decirnos en un minuto. *(Suena el tono de la contestadora.)*

VOZ A TRAVES DE LA CONTESTADORA:

... Gloria, habla tu papá, contesta. *(Pausa.)* Estoy esperando que me contestes. *(Andrés: "El terco".)* Contesta Gloria... Gloria, ¿cuándo acaba tu... este, tu, este... (Andrés: "Pareja".).* ... novio su mensaje a la Humanidad? Nada más me gustaría tener algún cálculo aproximado para contratar a los demoledores... y también quería recordarles que deben depositar en el banco la renta, porque con alguna responsabilidad podrían cumplir, me parece. A propósito: el domingo... *(Andrés: "No podemos".)* los esperamos a comer en el club. *(Silencio. Suena el tono de la contestadora y se corta la comunicación).*

Andrés vuelve a colocar las manos en el teclado. Mira, como sin ver, hacia la ventana.
Tocan a la puerta fuerte y rápido. Se levanta a abrir pero inmediatamente Gloria abre con su llave la chapa y entra. (Todo el siguiente diálogo es muy rápido):

GLORIA:

(Agitada.) Hay un cuate rarísimo en la acera de enfrente.

ANDRES:

¿Para qué tocas si traes llaves?

GLORIA:

¿Qué?

ANDRES:

La puerta.

GLORIA:

¿Para qué la toco? Estoy asustada.

ANDRES:

Pero traes llaves.

GLORIA:

Por eso abrí yo, ¿te fijaste?

ANDRES:

(Abnegadamente.) Cierto. Con calma dime: ¿por qué es rarísimo el cuate que está en la calle?

GLORIA:

¿Por qué? Puta, porque, porque está rarísimo. O sea: tú desconfías de todo lo que te digo, ¿verdad? Está pegado a un poste, en frente del edificio, tiene una máscara, y además, yo no sé si está drogado o así es, pero. . . Mejor salgo por la escalera de incendios. *(Mientras se va:)* Apaga la lumbre porque ya se te quemó el agua.

ANDRES:

¿Apaga-la-lumbre-porque-ya-se-te-quemó-el-agua? *(Suave.):* ¡Ah!: el agua para el café. . .

Va rápido a apagar la estufa. Regresa a sentarse frente a la máquina de escribir. Mira hacia la ventana pensativo.

ANDRES:

Capítulo doce. . . Uta madre. *(Yendo hacia la ventana.)* No, así no es. No. Fuera, largo. . . *(Le está hablando a la araña que está en el marco.)* Sáquese; suéltese de ahí, que se suelte, sin miedo. . . a ver: sin miedo. . . Una patita, dos patitas, tres. . . las otras, por favor. . . *(Apuntándole con la punta de un lápiz.)* Arriba las manos. . . Bien. *(Va a sentarse. Prende un cigarro.)*

Andrés fuma con cara inteligente.

OSCURO LENTO

3. Andrés fuma con cara inteligente.

ANDRES:

Capítulo doce. . . de la quinta parte. . .

Sigue fumando con cara inteligente. . .

ANDRES:

(Redactando.) "Entonces se oyeron los ladridos. . ."

Cuando coloca los dedos en el teclado, tocan tres veces a la puerta.

ANDRES:

(Desesperado, hablando para sí.) No. No estoy. No estoy. *(Recuesta la espalda en el espaldar de la silla y redacta en voz alta sin tocar la máquina.)* ". . . los ladridos interrumpiendo su. . . puntos suspensivos. . . A él, para quien cada palabra existía. . . en un desierto de silencio, a kilómetros de la siguiente palabra. . ." ". . . cada palabra existía ¿o existe? en un desierto de silencio. . . cada palabra retumba en. . ."

Tocan tres veces a la puerta.

ANDRES:

". . . cada palabra es una alucinación. . ."

Tocan tres veces fuerte, a la puerta.

ANDRES:

". . . un espejismo en un desierto. . ." . . . *(Voltea a ver la puerta. Nada sucede. Se alegra. Coloca las manos en el teclado. Voltea a ver otra vez la puerta. Nada sucede. Se entusiasma, pero aún receloso, mirando con el rabillo del ojo la puerta, teclea de corrido con un ritmo marcial).*

Varias patadas desesperadas en la puerta: con gran estruendo ésta se abre. Con el impulso de la última patada, Odiseo entra a la estancia y se queda quieto. Va en pantalones vaqueros negros y camiseta de mangas largas también negra, un amplio abrigo militar, cabello al rape. Los dos hombres se quedan mirando.

ODISEO:

Ya llegué y ni me esperabas.

ANDRES:

... ¿Odiseo? *(Se pone los lentes.)*

ODISEO:

Odiseo Ramírez "y" Barra. El Marqués del Guato. *(Yendo hacia la mesa cubierta con hojas.)* ¿Quihubas Penélope? ¿Qué urdías mientras andaba yo ausente? *(Lee de una hoja.)* "Atestiguaba a su ser en la pleamar de su no ser". Chingón.

ANDRES:

¿Dónde leíste eso?

ODISEO:

En tus ojos verde azul.

Andrés se acerca animoso a su amigo pero Odiseo se aleja a revisar el ámbito.

ANDRES:

Qué gusto, mano. De veras qué gusto.

ODISEO:

¿De veras?

ANDRES:

Qué inesperado. Embarneciste. Te afilaste de acá *(la quijada).*

ODISEO:

También envejecí, ¿no?, bastante.

ANDRES:

¿Sí? No, para nada. Creciste a lo ancho, eso es todo.

ODISEO:

(Yendo al librero.) Orale. Soy Dorian Gray. El Larrouse Ilustrado al extremo derecho y a la altura del cerebelo, como siempre. *(Lo hojea.)*

ANDRES:

¿Qué quieres? Te veo bien. Muy bien.

ODISEO:

(Encarándolo, en una descarga rápida y ruda.) No te creo nada. Nunca te he creído nada. Mientes, siempre mientes. Te mientes a

ti mismo. No enfrentas nada nunca. ¿También crees que tú sigues siendo un adolescente? Tienes dos, seis, nueve canas, a puro ojo de buen cubero. Te faltan tres años para llegar a la edad en que Cristo cumplió su destino en la cruz y todavía no has hecho nada que justifique el aire que respiras. Nada.

ANDRES:
Ah sí, ya te reconocí: El Jinete de la Galopante Paranoia.

Sin dejar de ver a Andrés, Odiseo toma del librero con aire amenazante dos pelotas de squash verde limón.

ANDRES:
¿Te quitas tu abrigo?

OSCURO LENTO. Se oye el golpeteo de una pelota contra la pared.

4. *Andrés y Odiseo (todavía con abrigo) juegan con una pelota verde limón contra una pared. Si es necesario trepan sobre muebles para seguir el juego: son parte del campo del juego. Pierde el punto Andrés.*

ODISEO:
Dos-cero.

OSCURO LENTO

5. *Ante el librero otra vez, como al final de la escena 4: Odiseo se guarda en el abrigo dos pelotas verdes.*

ODISEO:
(Viendo sobre el hombro de Andrés.) Uy, qué linda Singer Facilita. *(Se refiere a la máquina de escribir.)*

ANDRES:
Modelo antiguo, pero tiene seis tipos de letra.

ODISEO:

Fíjate. Yo tenía una con todo el abecedario. Ah, un compartimiento secreto. (!) *(Toma del interior de la máquina un rollito de papel.)* Oh no: es una nota. "Esta tarjeta debe permanecer en el equipo hasta que sea retirada por el personal de la IBM". *(Nerviosamente enrolla el papelito y lo guarda en su lugar).* Dios santo, qué he hecho. *(Y se queda inspeccionando el interior de la máquina.)* Oye, aquí, donde solía haber, tampoco hay.

ANDRES:

No.

ODISEO:

¿Allí o allá?

ANDRES:

Frío, frío.

ODISEO:

Acullá.

ANDRES:

Acullá está siempre remoto.

ODISEO:

Bajo el colchón, maldito burguesote.

ANDRES:

Aún en un azul de lontananza.

Andrés arrima una silla a la pared. Se sube para sacar del remate de yeso que corre a lo largo de la pared una cajita aflautada. Baja. Saca de la cajita varias varas de marihuana.

OSCURO LENTO. En la oscuridad un encendedor prende la punta de un cigarro.

6. *Odiseo y Andrés sentados en la cama se turnan un cigarro de mota.*

ODISEO:

Ese lugar. . . es de hielo, de hielo que te cala, que te quema los huesos. Mi música interior andaba tan lenta, tan pesada, que más bien no andaba, estaba quieta, muda. Como que te asimilas a lo gris... porque sólo perdiéndote puedes sobrevivir en esa multitud de machos maricones, esclavos prepotentes, vivos con alma de tumba, y demás criaturas contradictorias sintomáticas de esta nuestra sociedad revolucionaria institucionalizada sistemáticamente incoherente. ¿Captas?

ANDRES:

Con menos retórica, chance.

ODISEO:

¿Pero si tú sabías cabrón, por qué finges?

ANDRES:

¿Exactamente, qué sabía?

ODISEO:

Diez de la noche: Avenida Insurgentes: un intelectual de cierto renombre en ciertas fronteras culturales, o sea yo, camina por la acera... De pronto se le viene encima el mundo: una sirena, una luz roja intermitente, dos uniformados le están apuntando. Traía así de hierba, mano: un manojito de pura y buena fe.

ANDRES:

¿Y?

ODISEO:

Cinco años de cárcel.

ANDRES:

Uf. *(Apaga el cigarrito.)* Uf.

ODISEO:

Estuve dos completos, hijo.

ANDRES:

Y ahora estás en libertad condicional.

ODISEO:

Ajá: en libertad condicional; es decir que si no me cogen, ya chingué.

ANDRES:

¿Si no te— caray.

ODISEO:

(*Hosco.*) Pero si tú sabías todo, no tienes madre.

ANDRES:

¿Cómo? ¿De dónde? No salgo. No veo a nadie. Salgo al súper (mercado), o al parque, a la librería. Ni siquiera voy a/

ODISEO:

(*Definitivo.*) Tú sabías.

ANDRES:

¿Quieres. . . quieres. . . eh. . . una coca?

Pausa.

ANDRES:

¿Una cerveza? ¿Una. . .? Hay pollo.

ODISEO:

Sí, de lujo, digo, tu antro. . .

ANDRES:

¿Necesitas. . . no sé. . . dinero? Lo que sea, tú di qué. . . y yo. . .

ODISEO:

Nadie. . . vino a verme. . . Nadie.

Pausa.

ODISEO:

Como si esa patrulla hubiera sido la carroza de la muerte.

ANDRES:

Ajá.

ODISEO:

Y la cárcel el limbo; la antesala del juicio final, donde vas a recibir eterno descanso o tormento eterno. Pero puras ilusiones que uno se hace por darle importancia a su destino. Eso, la cárcel, era la chafería en cinemascope. El epicentro de la desesperanza.

ANDRES:

Odiseo, este. . . es muy probable que nadie. . . nadie se enteró de dónde estabas. Y por eso nadie. . .

Odiseo lo mira con fijeza, primero incrédulo, luego mientras habla, con resentimiento creciente.

ANDRES:
Nadie. . . fue a. . .

ODISEO:
Recibí una carta, en mi celda, de la revista *Nexos*. Era una encuesta. Querían saber, en mi calidad de escritor, qué opinaba sobre la vigencia del *Diccionario de la Real Academia de la Lengua*. Dejé la hoja para responder en blanco, la metí en el sobre adjunto, y se las envié. ¿No sabes si publicaron mi respuesta?

ANDRES:
No estoy leyendo *Nexos*.

ODISEO:
¿Y sin embargo, tienes alguna opinión sobre la vigencia del *Diccionario de la Real Academia de la Lengua*?

Andrés se queda pensando. Se soba la punta de la nariz con la palma de la mano. Odiseo está mirando una pared. De pronto está en pie, de pronto golpea la pared con un golpe de kung fu.

ODISEO:
Pinche arañita.

Se quedan inmóviles, Andrés en el sillón, Odiseo frente a la pared. Poco a poco Andrés empieza a reírse.

ODISEO:
¿Qué?

ANDRES:
No sé. Nada. Creo que nada.

Se ríe más. Odiseo sonríe.

ODISEO:
De veras: nada.

ANDRES:
Pero abundante, ¿no?

ODISEO:

Uta.

Se van serenando.

ANDRES:

Sí: radiante y extensa Nada. . . como ese cielo vacío. . .

ODISEO:

Me cae.

Odiseo se tiende en la cama junto a Andrés. Se quedan un rato en el vacío.

ODISEO:

¿Te prendió?

ANDRES:

Creo que. . . en el canal cinco, porque veo puras caricaturas.

Se quedan otro momento "mirando caricaturas".

ODISEO:

¿Sabes. . .?

ANDRES:

En este estado lo sé todo, pregunta.

ODISEO:

Me gustaría. . . un poco de. . . pollo.

ANDRES:

Pollo.

ODISEO:

Rostizado.

ANDRES:

Okey.

Pausa.

ANDRES:

Okey, ahorita voy. Es que me capturó el estado coloidal del aire.

ODISEO:

Okey. Andrés. . .

ANDRES:
Te juro que ya voy. Me estoy decidiendo a ir.

ODISEO:
No, espérate. Espérate.

ANDRES:
Okey.

ODISEO:
Andrés. . .

ANDRES:
¿Qué pasó?

Pausa.

ODISEO:
Que me pregunto cómo es que no sabías dónde estaba si yo soñaba cada noche contigo.

OSCURO LENTO. Otra vez se enciende un cigarro.

7. *Odiseo y Adrián sentados aparte turnan otro cigarrito. (La escena va progresando en rapidez hasta ser un intercambio sin un respiro.)*

ODISEO:
Cada noche. Bastante. Bastante. Pensaba en ti. No en. . . no sé, en. . . No sé. Uno no sabe en quién va a pensar en la cárcel hasta que uno está ahí y encuentra sus nudos, sus obsesiones, que uno no sabía que eran eso: nudos, piedras de toque. Una noche me la pasé en vela acordándome de lo que decías: lo de la rosa. Que la rosa tiene una corola y tiene espinas. . .

ANDRES:
Es una metáfora de la adolescencia, olvídala.

ODISEO:
Y que tú eliges mirar sólo la corola. Y yo las espinas.

ANDRES:
Que la olvides, de veras.

ODISEO:

Y de que así nos toca: a ti la corola, a mí las espinas. . . Y ahí en mi catre, en la celda, me decía: es un genio ese cabrón. Ahí en mi lecho de rosas lo pensaba: es el genio programador de fantasycable.

ANDRES:

Ahora donde estás es en la inconexa.

ODISEO:

Me acordé, sí, de tu rosa sin espinas, de tus ganas de ser bueno, de ser ejemplar, de ser luz en el sendero, paloma libertaria, ruiseñor de la Hermosura. Me acordé de tu segunda novela. *(Se ríe.)* Te digo: fantasycable.

ANDRES:

No funcionó porque me la llevé a terminar a Puerto Angel.

ODISEO:

Estabas iluminado, pero el relumbrón del mar te dejó pendejo. No te mientas, no te mientas, ¡no te mientas! Y para colmo, vas y me la dedicas. "A Odiseo, propiciador de viajes y retornos".

ANDRES:

Perdóname.

ODISEO:

Y yo me decía ahí en la celda: yo lo dejé publicar eso.

ANDRES:

¿Cambiamos de tema?

ODISEO:

Porque yo antes lo había dejado llegar a la actitud mental donde tenía que escribirlo.

Andrés mira para otro lado.

ODISEO:

Vi que tu ego se inflaba y se inflaba y se inflaba. Pensé: este güey se cree globo, hay que sujetarle bien el hilito. Pero tú mismo te lo soltaste y agarraste la vertical ascendente. . . Pero ya ves lo que pasa con los globos cuando tocan el cielo:

ANDRES:
¡Ya cállate!

ODISEO:
Truenan. Y me dije: se la debo, le debo lo que pasó por mi desidia.

ANDRES:
No me debes nada. Yo perdí cinco años, no tú.

ODISEO:
Y te la voy a pagar.

ANDRES:
Voy a poner música. *(Pero Odiseo le aferra el antebrazo y no lo deja ir.)*

ODISEO:
A eso vine. Voy a enseñarte a ver las espinas. A no voltearles la cara. A enfrentarlas.

ANDRES:
No gracias.

ODISEO:
A no tenerles pánico. Y al final vas a caer de rodillas ante la rosa entera, delicada y terrible: dulce y dolorosa.

ANDRES:
(Furioso.) Dije: no gracias. Dije: eso fue una metáfora de la adolescencia. Pero está bien, si se te detuvo el tiempo y quieres seguirla jugando, está bien.

ODISEO:
Bien. Sigámosla jugando.

ANDRES:
¿Qué espinas me vas a enseñar? La corrupción del mundo. La vileza. La injusticia. Me vas a seguir espantando con tus historias de cárcel. Me vas a jalar a la esquina de Insurgentes donde las putas trabajan y les dan su mordida a los policías. O me vas a llevar más lejos a ver más crueldad en el campo, más violencia. Todo eso ya lo leí.

ODISEO:

(Interrumpiéndolo.) ¿Lo leíste?

ANDRES:

Lo leí; desde los doce años lo vengo leyendo; lo vi, lo leí, lo pensé, tengo una sección de mi librero, veinte anaqueles, dedicado a problemas de la actualidad y veinte más a libros de historia, que dicen más o menos lo mismo, circunstanciado en otras/

ODISEO:

¿Circunstanciado?

ANDRES:

La miseria del mundo está documentada de sobra y ya a nadie le importa; cada minuto muere asesinado un cabrón en el planeta y cada quien sigue su pequeña vida: tú y yo seguimos hablando por ejemplo. Fíjate: acaba de morir otro cabrón en Bangladesh. Yo. . . *Se mueve a la ventana* Yo ni siquiera puedo decir que me dejo distraer; ya no; yo no soy responsable de la inmundicia, no contribuyo a ella, y no quiero mancharme con ella. No sé si esto es cinismo o es que por fin me adapté a mi sociedad/

ODISEO:

Es lo mismo.

ANDRES:

Yo. . . es evidente: yo me esquino absolutamente de todo y me concentro en un cuadrángulo de papel tamaño carta; renunció a todo y me encierro en el cuadrángulo de papel tamaño carta, y allí deliro: construyo un espacio fuera de todo y. . .

ODISEO:

Creas. Creas otro mundo.

ANDRES:

Otro mundo. Un mundo pulcro y ordenado, geométrico, rítmico.

ODISEO:

Todo corola. Sin espinas ni estiércol. Sin mierda. Cortas con tu espada la fealdad y la pones aparte. Sales a la calle con tu mundo de palabras borrándote el mundo. Siempre pensando en otra cosa, como cualquier ciudadano medio, siempre pensando en tu proyecto personal ordenado, rítmico, pasas por el pantano.

ANDRES:
Sin mancharme.

ODISEO:
Mientras afuera mira: tu casa ha ido quedándose deshabitada y en ruinas. Convertida en una espina más.

ANDRES:
Es el "look" vacío.

ODISEO:
Es el "look" desidia.

ANDRES:
Puede ser.

ODISEO:
El "look" esquizofrenia. Llevas cuántos años atorado en esta ruina, en esta espina, en esta fealdad. En esta esterilidad.

ANDRES:
Pero yo no vivo aquí, a ver si entiendes por fin; vivo aquí *(toca su sien.)*

ODISEO:
Pues te jodiste: tienes que salir.

ANDRES:
¿Por qué tengo que salir?

ODISEO:
Ponte tus lentes.

ANDRES:
Los traigo puestos.

ODISEO:
Entonces veme. Porque llegué yo, el Angel de la Destrucción, nada más por eso.

ANDRES:
(Irónico.) N'ombre, el Angel de la Destrucción.

ODISEO:

No soy bienvenido.

ANDRES:

De hecho no, no eres bienvenido. Tengo que trabaj/

ODISEO:

No. Fue una afirmación, no una pregunta; una afirmación, por demás, universal. Nunca soy bienvenido. Y quiero una coca cola. *Va a la cocina.*

Andrés saca una pelotita y la lanza con rabia a la pared. Va y prende la grabadora.

OSCURO LENTO. Sube la música: rock suave, sin letra. Una pelota fosforescente golpea la pared, regresa, vuelve a golpear la pared.

8. *Andrés y Odiseo juegan con una pelota contra una pared. Andrés gana el tanto.*

ANDRES:

Cuatro-dos. Estás en mala condición. *(Lanza la pelota.)*

ODISEO:

(Cachándola.) Por la tortura en la cárcel. *(Lanza la pelota.)*

ANDRES:

(Paralizado, sin moverse para cachar, gritando.) Uta.

ODISEO:

No es cierto, no me tocó tortura. Tres-cuatro.

Siguen jugando. De pronto Odiseo truena el pulgar contra el índice.

ODISEO:

Espérate. Apaga la música. Rápido.

Andrés lo hace.

ODISEO:

. . . Suben pasos por la escalera.

ANDRES:
   ¿Sí?

ODISEO:
   Ya me cogieron.

ANDRES:
   Ha de ser/

ODISEO:
   (Interrumpiéndolo por la angustia.) ¿Tienes una pistola?

ANDRES:
   Pero/

ODISEO:
   ¡Vives en un edificio abandonado y no tienes pistola!, ¡pinche Andrés! Puta, ¡puta! Hay otra salida.

ANDRES:
   Cálmate. Se me olvidó contarte —no sé cómo se me olvidó/

ODISEO:
   ¿Por dónde es? Llévame.

ANDRES:
   Vivo con alguien.

ODISEO:
   ¿Vives con. . .? ¿Y se te olvidó. . .?

ANDRES:
   Contarte. Es una muchacha/

ODISEO:
   ¡No me cuentes!, ¿dónde está la otra salida?

ANDRES:
   Por aquí. Pero espérate. Voy a darte lana, ¿bien?

ODISEO:
   Bien, muévete. ¡Muévete!

Andrés saca de arriba de la cornisa, un rollo de billetes. Elige la mitad. Lo repiensa, toma la mitad de esa mitad, se la da a Odiseo. Mientras, continúa el diálogo.

ANDRES:

Pero no te vayas sin oír su voz. Seguro es mi mujer.

ODISEO:

¿Y si no es?

ANDRES:

Si no es, pues/

ODISEO:

Si no regreso es que ya me fui.

Odiseo sale tras la cortina de terciopelo que cubre el acceso a la escalera de incendios. Andrés saca de abajo de un sillón un spray y va rociando el ambiente para quitarle el olor a marihuana mientras recoge el abrigo de Odiseo y lo cuelga en el tubo con ropa.

Se abre la puerta. Entra Gloria.

GLORIA:

(Glamorosamente.) "Uva". Pero adivina. Hoy querían que dijera "C-uva", con la "C" muy suave, casi sin sonar. "C-uva". Qué tipo de subliminal es eso, no me preguntes.

Odiseo sale de atrás de la cortina de terciopelo.

ODISEO:

Hola, voz de ángel.

ANDRES:

Ella es Gloria.

ODISEO:

Cómo no. Te lo creo.

ANDRES:

Y éste es. . .

ODISEO:

(Adelantándose.) El Capitán Centella.

GLORIA:
¿De veras?

ODISEO:
Más vulgarmente conocido como Odiseo Ramírez "y" Barra.

GLORIA:
¿Odiseo?

ODISEO:
Sin ache.

GLORIA:
Claro, como *La Odisea,* ¿no?, sin ache.

ODISEO:
Cómo no: la divina Odisea: una chavita de la Roma a la que dejé tan apantallada que se cambió de nombre.

GLORIA:
?

ODISEO:
La Odisea Rivera, muy jaladora chava. ¿Y en qué reventón la conociste tú?

GLORIA:
No, yo hablaba de. . . Híjoles, no importa.

ODISEO:
¿Tú hablas de la historia de. . . ?

GLORIA:
La Odisea, una historia de marineros, da igual.

ODISEO:
Unos marineros que hicieron un viaje muy grueso (?).

GLORIA:
Esos.

ODISEO:
Griegos.

GLORIA:
Pero me equivoqué, disculpa.

ODISEO:
Al contrario mujer: sólo que no creí que fueras tan culta. Caramba, el mundo es un pañuelo. Figúrate que mi mami me puso Odiseo por la historia que dices. Soy un viaje tan grueso que ya quiero regresarme.

Gloria se ríe en la cara de Odiseo. Odiseo se pone unos lentes oscuros.

ODISEO:
Dispensa, pero es que tu sonrisa me deslumbra. Como acabo de salir del país de las brumas. . .

GLORIA:
¿De Inglaterra?

ODISEO:
¡De Inglaterra, precisamente! Tú y yo tenemos telepatía, te juro. De Oxford University, para ser aún más precisos.

ANDRES:
(Vagamente queriendo cambiar la conversación.) Eh. . . ¿Por qué no nos sentamos?

Mientras toman asiento:

ODISEO:
Estuve becado por el gobierno patrio para estudiar Hermenéutica.

GLORIA:
Qué interesante.

ODISEO:
Cómo no. Por decreto presidencial ahora voy a formar brigadas de emergencia para enseñar Hermenéutica al proletariado.

GLORIA:
¿Al proletariado?

ODISEO:
Lástima, ¿no?, porque a mí también me gustaría que asistieras. Te digo qué: hagamos una excepción. Tú dices que trabajas en la maquila y yo te corroboro. ¿Cómo ves?

GLORIA:
Pues. . . ¿Hermenéutica. . .?

ANDRES:
Gloria. Ya te había platicado mucho de mi amigo el cuentista, Gloria.

GLORIA:
¿Sí?

ANDRES:
Sí.

GLORIA:
Ah: sí, ¡ah: sí!

ODISEO:
Sí, sí, sí: su amigo íntimo.

GLORIA:
Que vivieron juntos, ¿cierto?

ODISEO:
Exacto. Vivimos muy juntos, muy. . .

ANDRES:
Algunos meses.

ODISEO:
Veinte, cabrón.

GLORIA:
Y que luego te perdió la pista.

ODISEO:
Tres años y, según me cuenta, nunca dejó de buscar, desesperadamente, por mar y cielo.

GLORIA:
. . .

ODISEO:

Lo que me apena es que haya padecido esos insomnios que me cuenta y todo lo demás. Ya sabes.

GLORIA:

Sí, caray.

ODISEO:

Pero bueno, eso pasa si desaparece tu. . . ¿cómo decirlo?, tu. . . hermano del alma.

GLORIA:

¿Y tú, por qué no le escribiste?

ODISEO:

Es que, bueno. . . Oxford es un lugar muy duro y. . .

GLORIA:

Bueno, pero una postal o. . .

ODISEO:

Pues sí pero, además, Andrés es, esta es la verdad de fondo, Andrés es el más devoto en nuestra amistad; yo tiendo a no ver lo que no quiero ver, a no buscarme broncas, soy un indolente espiritual y/ Y digo, jamás creí que se preocupara al extremo de contactar a la Cruz Roja Internacional para que diera conmigo. Imagínate: cuando me enteré que unos agentes andaban por todo el campus de Oxford preguntando por mí, me aterré.

GLORIA:

Pensaste que. . .

ODISEO:

Eso: que me estaban buscando por mi herida. Sí oíste de mi herida también, ¿no? *(Mientras se arremanga la camiseta.)* Después de todo es una herida que causó cierto escándalo. Miren: pura cicatriz de veinte kilates. Y me la hice yo solito.

Gloria se queda mirando la cicatriz profunda que rodea la muñeca de Odiseo. Andrés voltea el rostro. (Pausa.)

ANDRES:

Eh. . . Este. . . *(Pausa.)* Este. . . ¿Quieren. . . café?

GLORIA:

(*Recuperándose.*) Yo. . . yo pongo el café, mi vida. Y. . . ¿por qué no te vistes tú? Ya es tarde.

ANDRES:

¿Y si de una vez me baño?

GLORIA:

Sí, te bañas, mientras yo preparo algo de comer. Algo sencillo, Andrés.

ANDRES:

¿Y qué tal si voy a correr. . . y luego. . ./

Andrés y Gloria se miran entre sí preocupados.

GLORIA:

No, ¿cómo?, primero comemos. Ligero, Andrés.

ANDRES:

Bueno. Y luego me prestas tu coche para ir al parque a correr.

GLORIA:

O voy contigo. Odiseo, si quiere, nos acompaña. Le prestamos los tenis que dejó mi hermana.

ANDRES:

(*Trágico.*) Entonces. . . ¿me baño o no me baño?

GLORIA:

Báñate. Después de correr te bañas de nuevo.

ANDRES:

Exacto. Entonces tú a la cocina y yo a la regadera.

Pero se quedan sin moverse, en silencio. Luego cada quien va a donde le corresponde.

De inmediato Andrés regresa. Prende la grabadora: un rock lento.

ANDRES:

Ahí te dejo con The Police. Todavía son excelsos, uf. (*Sale.*)

Odiseo todo este tiempo ha estado mirando en silencio la herida de su muñeca. (Pero como trae lentes oscuros esto no es muy notable). Ahora permanece aún sin moverse.

Odiseo se pone en pie. Despacio camina hacia la grabadora. La apaga. Hay un gesto duro en su boca. Va hacia el teléfono. Toma el cordón. Lo enreda entre su codo y su diestra. Lo arranca de la conexión de la pared. Guarda el extremo del cordón en la conexión, para que no se note que está suelto. Camina despacio. Se detiene ante los vestidos. Los examina sintiendo con la punta de los dedos su material suave. Sin dejar de apretar las quijadas toma uno y se lo pone al frente para ver cómo le queda. Murmura: Guau. Toma luego de entre los vestidos su abrigo. Se lo pone. Vuelve a sentarse en el mismo lugar que ocupaba y se queda quieto en la misma posición que antes. Cruza los brazos sobre el pecho, estira las piernas. Deja caer la barbilla sobre el pecho.

Empieza a roncar.

LENTAMENTE OSCURO

9. *En la estancia, Andrés dispone por la mesa los fajos de su novela. En la cocina, Gloria lava trastes; Odiseo, sentado en un banquito, con lentes oscuros, los seca.*

Gloria cierra el grifo.

GLORIA:
Y. . . ¿por qué te suicidaste?

Andrés se queda quieto. Gloria empieza a secar la cafetera.

GLORIA:
Digo: si llega una amiga y me dice que estuvo en Africa, obviamente quiere platicarme de Africa. Si tú, a los cinco minutos de que me conoces, me dices que te suicidaste, obviamente. . . Bueno, no que te suicidaste, pero esa era tu idea, ¿cierto?

ODISEO:
¿Dónde pongo la azucarera?

GLORIA:
Dámela.

ANDRES:
Gloria. . .

GLORIA:
(Por el quicio.) ¿Ya está la novela?

ANDRES:
Qué discreta eres.

ODISEO:
Sí me suicidé. Pasó que del otro lado de la vida tampoco tenían lugar para mí. *(Pausa.)* Jo-jo-jo. Fue un chiste.

GLORIA:
Ah. Era muy stressante Oxford, me imagino.

ODISEO:
Stre-ssan-te, Oxford. Sí. Este plato tiene un rayón.

Gloria toma el plato, sin revisarlo lo tira al basurero.

GLORIA:
Es que yo siento que lo mejor es hablar de lo que uno siente. No reprimir nada.

ODISEO:
¿Nada?

GLORIA:
Nada, porque después lo reprimido se te regresa mucho más grueso. Entonces mejor soltar todo. Como venga. Todo.

ODISEO:
(Confidencial, mientras seca un cuchillo grande de cocina.) Gloria: me fascinan tus medias. Me fascinan y quisiera llegar algún día a ver cómo te ajustan en la cintura. Y conste que estoy reprimiendo una parte importante de mi deseo.

GLORIA:
Toma este trapo, ése ya está mojado.

ODISEO:
¿Esa es toda tu reacción a mi confesión?

GLORIA:

¿Te gustó decírmelo?

ODISEO:

Mucho.

GLORIA:

Te dije: es muy bueno expresarse.

Odiseo le regresa el cuchillo que secaba. Gloria lo echa en un cajón que de inmediato cierra de golpe, para luego girar y ver de frente a Odiseo.

GLORIA:

(Baja la voz.) Odiseo. . .

ODISEO:

¿Sí?

GLORIA:

¿Puedo ahora confiar yo en ti?

ODISEO:

Por favor.

GLORIA:

Ves cómo pone su novela en partes: un capítulo allí, otro allá, como si estuviera jugando solitario, o hiciera magia, o algo así, misterioso. Es que esa novela es sagrada para él. Ha sacrificado todo por ella. ¿Me entiendes?

ODISEO:

Sí.

GLORIA:

Por eso no se la ha enseñado a nadie, porque —ya sabes— nadie podría ser objetivo; ni siquiera se la ha enseñado a otros que insistieron más que tú —aunque claro, a ti te admira. . .

ODISEO:

¿Me admira?

GLORIA:

Nunca lo había visto escuchar a alguien sin interrumpirlo. La cosa es que. . . ¿cómo decirte. . .?

Odiseo se quita los lentes, se lleva la diestra al corazón.

ODISEO:

No te preocupes, Gloria. Entiendo.

GLORIA:

Si me quieres criticar a mí, o a su casa o no sé, está bien. Pero su novela es sagrada. . .

ODISEO:

De veras despreocúpate. Andrés es mi mejor amigo.

GLORIA:

Te va a encantar.

ODISEO:

Ojalá.

GLORIA:

No, no: te va a encantar. ¿Verdad?

ANDRES:

Este. . . Ya.

Con solemnidad, Andrés y Gloria flanquean a Odiseo camino a la mesa. Odiseo toma asiento. Andrés toma un fajo de hojas y lo coloca frente a él. Todo lo que sigue muy quedo, como en secreto.

ANDRES:

(La voz temblorosa por la emoción.) El principio. . .

ODISEO:

Correcto.

GLORIA:

¿Quieres un cognac?

ANDRES:

¡Schh!

ODISEO:
Un cognac, merci.

Odiseo se pone a leer con gesto grave, que se va agravando. . . Se pone sus lentes oscuros. Lee. Gloria coloca el cognac junto a su mano. Odiseo se pone los lentes en la nuca. Lee. Toma un sorbo de cognac, ruidosamente hace un buche, lo traga, se atraganta, tose. Toma otro trago.

Andrés respira ruidosamente. Hace muecas de dolor.

ANDRES:
(A Gloria, quedo.) Me gustaría. . . este, ir a correr. . . al parque.

Odiseo saca de su chaleco una lamparita y con ella ilumina el escrito.

GLORIA:
(A Odiseo, confidencialmente.) Sí, está un poquito oscuro. Mejor te prendo la luz.

ANDRES:
(Gritando.) ¡No es eso! ¡No es eso! ¡Voy al parque! Préstame las llaves del coche, ¿sí?

GLORIA:
¿Qué te pasa?

ODISEO:
En efecto, Gloria: está un poquito oscuro.

ANDRES:
¿Eres débil mental, o. . .? ¡Se está burlando! ¡¿Nunca te das cuenta de nada?!

ODISEO:
Un poquito está oscuro y lo demás. . . ¡negro!

GLORIA:
¿Y tú eres su mejor amigo?

ODISEO:
Por ésta que sí.

ANDRES:
Dame las llaves, ¿quieres?

GLORIA:
Está oscuro porque es profundo. Andrés no escribe para que lo entiendan; escribe para ser estudiado, que es mucho más importante. ¿Verdad, Andrés?

ODISEO:
Oh my god!

GLORIA:
Está reinventando el lenguaje, por sí no te das cuenta. Yo lo he estudiado desde hace un año y ahora cuando lo releo lo entiendo perfectamente.

ODISEO:
Oh Jesus Christ!

GLORIA:
Y cuando me di cuenta de que le entendía, por mi madre que tuve un orgasmo.

ODISEO:
I can't believe it's butter!

GLORIA:
Porque es bellísimo.

ANDRES:
¿¿Me vas a dar las llaves del coche??

GLORIA:
¡¡¡Están en mi bolsa!!!

Silencio mientras Andrés, gimoteando, va a sacar las llaves de la bolsa.

GLORIA:
Y cuando vuelvas con los tenis llenos de lodo, me haces el favor de quitártelos antes de entrar.

Andrés, en el quicio de la puerta, la mira con rencor. Sale mientras sucede el OSCURO LENTO.

10. Penumbra. Gloria termina de colocar las transparencias en el proyector. Junto a ella Odiseo le presta atención. Beben cognacs, fuman. Odiseo prepara un carujo de mota.

GLORIA:

No, no entiendo nada. Como dice Andrés. Antes de conocerlo, ni siquiera entendía eso: que no entiendo nada. ¿Cómo decirte?: para mí antes era como si. . . todo fuera lo que es, nada más. Lo bueno es que ya estoy en psicoanálisis. . .

ODISEO:

¿Cuántas veces a la semana?

GLORIA:

Tres. Lo malo es que mi psicoanalista no me explica nada. Igualito que Andrés. Uno porque dice que yo misma tengo que explicármelo todo, ¿te imaginas?: Explicármelo todo. Todo: el Universo y las galaxias y todo. El otro porque dice que le gusto como soy —o sea: cuando le gusto eso dice—; dice que dé gracias a Dios de ser superficial, que nada más ver la superficie es una bendición. Claro que cuando no le gusto dice que a ver cuando aprendo a hablar español.

ODISEO:

A mí me parece que hablas bien, con mucha. . . eh. . . chispa.

GLORIA:

Sí, como niña de doce años, ¿no?, me enredo, me falta vocabulario, soy una ternura.

ODISEO:

Bueno, tienes un léxico limítrofe con el del promedio de la población, pero cuando quieres hablar, tu verborrea compensa la pobreza terminológica. Aquí está el churro.

GLORIA:

Pues sí, pero la cosa es que. . . ay no sabes. . . Cuando yo lo necesito, él me huye. . . Cuando él me desea, yo estoy siempre disponible. En cuanto al loquero, es una situación de plano denigrante: le pago por acostarme en su "couch" y que no me hable ni me toque y que se lime las uñas.

ODISEO:

¿Se hace manicure? *(Prende el cigarrito de mota, se lo pasa a ella.)*

Empiezan las transparencias: PLAYA, MAR.

GLORIA:

El otro día, mientras hablaba de cómo odio a mi papá, se puso a pelar una mandarina a mis espaldas. Le pago 7 mil pesos por minuto para que pele mandarinas. ¿Sabes cuánto cobro yo por minuto? Más que él y hago lo mismo: o sea, nada. En ese "couch" estoy llenándome de resentimientos y odios y quejas y. . . Voy a demandarlo, vas a ver.

ODISEO:

Excelente, demándalo.

GLORIA:

Quién sabe. Tal vez es que me estoy volviendo por fin profunda en ese "couch", te juro.

ODISEO:

Probablemente. ¿Todo el tiempo es playa?

Gloria enciende con el control remoto la grabadora: un rock suave, lento.

GLORIA:

Mi cámara no tenía automático y Andrés no puede salir de aquí hasta que acabe su novela, punto final. Desprecia el mar, hazme el favor.

ODISEO:

No, está grave.

GLORIA:

Dice que no, que es majestuoso y quién sabe cuántos rollos, pero se quedó aquí. A mí el mar me limpia de todo. Me hace sentir tan pequeña. . . como una conchita donde no puede caber todo el mar. . . Eso me da calma.

ODISEO:

Eres una bella persona, Gloria.

GLORIA:

Ya sé. Ese es mi problema.

TRANSPARENCIA: FRENTE AL MAR, GLORIA EN BIKINI SA-
LUDA A LA CAMARA ALZANDO LA DIESTRA, TRAS LA SONRISA
UNA LARGA TRISTEZA. (TODAS LAS FOTOS DONDE APARECE
ELLA ESTAN CHUECAS Y DESENFOCADAS.)
Triste, Gloria saluda a su fotografía alzando la diestra.

GLORIA:

Hola. Al tercer día encontré quien me tomara las fotos. Un teporochito.

ODISEO:

Qué buena foto, cómo no. ¿Cómo va a ser problema tu belleza? Es
un regalo de Dios, Gloria. Acéptalo como un don.

GLORIA:

Tú qué sabes. La gente no te lo perdona; a fuerzas quiere que seas
idiota, para compensar. Y ahí va una y les da gusto.

OTRA TRANSPARENCIA DE GLORIA.

GLORIA:

Voy a tener un hijo. Para tener quien me acompañe.

TRANSPARENCIA: GLORIA, EN UN VESTIDO BLANCO, DE ES-
PALDAS, CON UN NIÑITO DE LA MANO.
Odiseo mira la transparencia y luego a Gloria, alarmado.
TRANSPARENCIA: GLORIA ABRAZANDO AL NIÑO -UN JAPO-
NESITO.

GLORIA:

Pasamos horas inolvidables. Dos horas. El teporochito siempre
atrás, siguiéndonos fielmente con la cámara.

TRANSPARENCIA: GLORIA CON LOS BRAZOS EXTENDIDOS:
RECIEN HA ENTREGADO EL NIÑO A SUS PADRES NIPONES. EL
NIÑO TIENDE TAMBIÉN HACIA ELLA LOS BRAZOS, CON EXPRE-
SIÓN DE LLANTO.
Gloria suspira.

TRANSPARENCIA: GLORIA DE NUEVO EN BIKINI, FRENTE AL MAR, SALUDANDO TRISTEMENTE CON LA DIESTRA.
Gloria alza la diestra.

GLORIA:
Hola.

ODISEO:
Hola. *(Le pasa el brazo sobre los hombros.)* Pobrecita.

TRANSPARENCIA: UNA COLUMNA DE ROCAS DONDE EL MAR ROMPE SUS OLAS.

GLORIA:
¡El mar, el mar. . .!

ODISEO:
¡La mar, amar, amar. . .!

GLORIA:
Ay sí: amar. . . amar. . .

Odiseo le voltea el rostro y la besa en los labios.
TRANSPARENCIA: LA MISMA COLUMNA TOMADA DESDE MAS CERCA.

GLORIA:
(Apartando su boca de Odiseo, disgustada.) ¿Qué te pasa? ¿Quién crees que soy?

ODISEO:
No sé. Apenas probé tus labios.

Gloria se incorpora violentamente. Apaga la grabadora.

GLORIA:
Apaga la. . . como se llame esa máquina.

Odiseo no obedece.
Gloria va a prender la luz eléctrica. Al mismo tiempo Odiseo prende la grabadora y de inmediato va a apagar la luz.

ODISEO:
¿Bailamos?

GLORIA:

Qué pesado cuate. *(Va a prender la luz.)*

ODISEO:

Estabas hablando de amar.

GLORIA:

Sí, pero no contigo.

Pero Odiseo la apaga tras ella y le abraza la cintura.

ODISEO:

No temas, mujer. Tu cintura en mis brazos y todo está claro.

GLORIA:

Ay no. Se me olvidó que también tú eres poeta.

ODISEO:

Cuentista. Sólo esta pieza, dame chance.

GLORIA:

Esta pieza dura todo un lado.

ODISEO:

Perfecto: luego nos volteamos. Es que eres — ay dolor— irresistible.

GLORIA:

Orale, pero compermiso. *(Intenta apartarse.)*

ODISEO:

Eres la cura a todos los anhelos del sexo masculino, ¿sabías eso?

GLORIA:

Me lo habían dicho unas cuantas veces. ¡Compermiso dije!

Ella se aparta violentamente, pero el la recaptura por la cintura, y empieza a moverse levemente, como en un baile íntimo.

GLORIA:

Mira, tres cosas: Una: no quiero armar un escándalo.

ODISEO:

Para nada, suavecito Gloria.

GLORIA:

Segundo: eres el mejor amigo de Andrés.

El le besa el cuello.

GLORIA:

Y va a llegar, Odiseo, va a volver y, te advierto que/

ODISEO:

Dijo que en tres horas.

GLORIA:

No es cierto.

ODISEO:

Dijo: voy al parque y luego al cine. Estaba muy enojado. Tú no lo oíste. Te fuiste a la cocina, ¿te acuerdas? Dijo: me tardo tres o cuatro horas, por si piensas esperarme. Por ésta.

GLORIA:

Pero no es eso. Es. . .

ODISEO:

Libérate: tu cuerpo es tu cuerpo, no de Andrés.

GLORIA:

Y segundo:

ODISEO:

Ibas en el cuarto.

GLORIA:

Y cuarto:

ODISEO:

Sexto, nena: ya casi nos graduamos.

GLORIA:

Tercero: no me gustan tus. . .

ODISEO:

A mí las tuyas. . . el resto, el resto.

GLORIA:

(Quitándose de encima las manos.) ¡Qué vulgar, dios santo! No me gustan tus modales, ¿no entiendes?, ni tu barba rasposa ni cómo hablas ni cómo sudas y. . .

ODISEO:

A ver, ¿cómo sudo?

GLORIA:

Sudas. Y no me gusta.

ODISEO:

Pero te excita.

GLORIA:

Me aterra.

ODISEO:

Gloria, te amo.

GLORIA:

¡Cómo te atreves a ofender así mi inteligencia!

ODISEO:

Rewind, rewind. Gloria, te deseo. Y yo a ti te atraigo también. Porque nunca habías conocido a un hombre como yo.

GLORIA:

Ja.

ODISEO:

Ja ¿qué?

GLORIA:

Miles. Como tú he conocido millones.

ODISEO:

Entonces uno más, qué más da. No, perdón. Rewind, rewind. Tú dices: Miles, como tú he conocido miles, y yo digo: Mentira, a nadie has conocido como yo. A nadie que te hubiera deseado así, sin ninguna precaución, sin ninguna ilusión de futuro, sin pedirte ningún compromiso, y hasta la muerte.

GLORIA:

Hasta la muerte. Qué tipo.

————————

ODISEO:

Y por eso te sientes poderosa. . . e irresistiblemente atraída. . . a entregarte. . . a esta muerte. Gloria, no te prometo la luna, tan sólo un momento —un momento sólo— de abismo. . .

GLORIA:

Bueno ya: ¿me vas a violar?

ODISEO:

¿Quieres que te viole?

GLORIA:

No.

ODISEO:

Qué bueno, porque entonces no sería violación. Te encanta. Te encanta. Estás sudando de placer. *(Le acaricia los senos.)* Estás cálida y benigna, erizada, de tu cabeza para abajo.

GLORIA:

No es cierto.

ODISEO:

¿No estás sudando?

GLORIA:

De pánico.

ODISEO:

¿Qué soy para ti, Gloria?

GLORIA:

Una pesadilla.

ODISEO:

Eso, eso: ese sueño prohibido. Ese deseo aterrador. Crúzalo, este deseo aterrador.

GLORIA:

Te digo, de veras, no es nada personal, no quiero lastimarte más de lo que ya estás, pero, ¿cómo te digo?. . . *(Le clava las uñas en el cuello.)* Ya, ¿no?

ODISEO:

¿Qué me ay clavaste en ahí?

GLORIA:

Las uñas.

ODISEO:

Escucha:

Pausa.

GLORIA:

¿Qué?

ODISEO:

La verdad absoluta. ¿Escuchas?

Pausa.

GLORIA:

No.

ODISEO:

Mi corazón, tu corazón, ¿no oyes? ¿No oyes qué fuerte, qué a gritos andan como locos?

GLORIA:

Es porque tengo las uñas clavadas en tu cuello.

ODISEO:

Eso es cosa superficial, Gloria. Es la pasión que nos agobia el corazón, la pasión que nos explota en pleno pericardio. Así que en cuanto a tus inicuas uñas, nena, si quieres clávalas más. ¡Ay!

GLORIA:

No me vuelvas a decir nena, ¿oíste?

Odiseo la carga de golpe a la cocina, la sienta en el fregadero. Luego se hinca y le quita un zapato, le besa el dedo gordo de un pie. Gloria, antes asustada, ahora se ríe.

GLORIA:

Eres un cabrón.

ODISEO:
(Subiendo sus manos por sus piernas.) Eso, eso: un malo malo malo. Un ladrón.

GLORIA:
Eso: un maldito ladrón.

ODISEO:
Un aventurero infame pobre diablo, tranza seductor.

GLORIA:
Violador, no seductor, violador.

ODISEO:
Soy el Oscuro, Gloria; el Ofensivo, el Impuro, el Coco. Soy el Coco, Gloria, contra el que te educaron tus progenitores; el Intoxique: el Marqués del Guato, el Demoledor de ritos y barreras; el muy amado de los dementes: el Capitán Centella: la Rosa Negra del Caos: el Negro Olor del Sexo: el Caballero Rosacruz de la Pavorosa Espinadura.

GLORIA:
(Sarcástica.) Ay sí, ¿qué más?

ODISEO:
Ay sí: quemo. Quemo: ardo: soy la Fiebre, Gloria.

GLORIA:
(Suave.) Sí.

ODISEO:
La Fiebre.

GLORIA:
No, de veras no me toques más.

ODISEO:
(Suave.) Son de liguero, oh my god!. . .

GLORIA:
(Suave.) No sigas.

ODISEO:
Rewind, rewind, rewind.

Odiseo la carga otra vez. La coloca junto al apagador de la luz.

ODISEO:

¿Bailamos?

Bailan muy despacio. Respiran fuerte.
Gloria le acaricia el cabello con un mano. Odiseo baja la cabeza al hombro de Gloria.
Van deslizándose al rincón de la cama.

GLORIA:

Pero queda entre tú y yo.

ODISEO:

Y el mar.

GLORIA:

Júralo.

ODISEO:

Lo juro. Entre tú y yo y el mar.

Gloria se quita el vestido camiseta.

GLORIA:

Dale gracias a Dios que estoy cruzada.

ODISEO:

Gracias Señor, gracias.

Se tienden. OSCURO LENTO, aunque no se apaga el proyector: el proyector empieza a enviar sobre la cortina sólo cuadros blancos. El rock sigue sonando.

11. *La cortina se abre por el centro para dejar pasar a Andrés. Viene con ambos tenis en una mano. Se extraña por el ambiente. Con los ojos busca en su entorno. Escucha los sollozos que vienen de la cama. Toma un banquito y se sienta a esperar allí, en el cuadro de luz del proyector, el cuadro intermitente de luz.*
La música se acaba. Se oye el click de la grabadora al agotar la cinta. Silencio.

———————

Andrés prende desde el banquito la luz eléctrica. En la cama, Gloria incorpora el torso. Ve a Andrés. Levanta la diestra en señal de saludo. También Odiseo incorpora el torso, ve a Andrés, lo saluda levantando la diestra.

GLORIA:
(Dulce.) Hola.

ODISEO:
(Dulce.) Hola.

Luego Gloria se lleva ambas manos al cabello, y, mirando al techo, se lo acaricia tremendamente preocupada. Baja la vista hasta Andrés, que sigue quieto.

GLORIA:
Esto no significa nada.

ODISEO:
Ajá.

ANDRES:
Ajá.

ODISEO:
Fue sólo un. . . capricho.

ANDRES:
Sí.

GLORIA:
Sí.

ANDRES:
Sí. Un capricho.

GLORIA:
Y ya.

ANDRES:
Y ya.

ODISEO:
Y ya. Un capricho consuetudinario, nada más.

———————

ANDRES:
Nada más.

ODISEO:
La neta: ella para ti es nada más un capricho consuetudinario, ¿o no?

ANDRES:
La neta.

GLORIA:
Yo soy nada más un capricho consitudinario?

ANDRES:
Consuetudinario.

GLORIA:
¿Qué quiere decir consetu —eso—?

ODISEO:
De diario.

GLORIA:
¿Y qué quiere decir exactamente que yo soy para ti nada más un capricho —de diario—?

ANDRES:
Que esto no significa nada.

Pausa.

GLORIA:
Ah fíjate.

Pausa.

GLORIA:
Andrés, yo te amo. Sólo que. . . se me zafó. . . algo. . . No sé. Andrés. . . Andrés te juro: te amo.

Pausa.

ANDRES:
Yo. . . debería sentir. . . algo. . . Algo, ¿no?, pero. . . Puta madre: ¡te voy a romper la cara!

Odiseo y Gloria se tensan.

ANDRES:

¡Meterte con mi mejor amigo!

ODISEO:

Te hablan a ti Gloria.

ANDRES:

¡Meterte con mi mejor amigo en mi propia cama! ¡En estas sábanas!. . ., ¡las sábanas de satín que compré al día siguiente de conocerte! ¿Cuántas veces me has hecho esto? ¿Con cuántos tipos cada que sales? ¿Con cuántos lancheros cuando te fuiste al mar? ¡Cómo se me está envenenando la sangre! ¡Eras nada más una cara bonita cuando te conocí! ¡Yo te descubrí la complejidad del mundo! ¡Yo te descubrí una por una tus zonas erógenas! ¡Yo te mandé a psicoanálisis! Pero eso me pasa por tener sábanas de satín y zonas erógenas y una mujer con cara bonita y todo lo que no necesito realmente.

GLORIA:

Oye, no porque hables mucho tienes razón, ¿eh?

ANDRES:

Vete. No te molestes en despedirte, nada más vete.

Gloria recoge su vestido camiseta. Se lo pone.

GLORIA:

Quiero ahora decir algo yo.

ANDRES:

Esto no es un juicio legal: no hay fiscal ni acusados, ni culpas ni condena. Sencillamente había algo muy fino, algo invisible que iba de mi corazón a tu corazón. . . y lo cortaste.

GLORIA:

O sea que no me vas a dejar decir algo.

ANDRES:

Di misa. No te estoy oyendo. *(Se sienta a no oírla.)*

GLORIA:

¿De veras no me estás oyendo? ¿Bombón?

Gloria trata de sorprender alguna señal que delate que Andrés la oye, en vano.

GLORIA:

Entonces de una vez te voy a decir tres cosas.

Odiseo se pone a hacer, hacendosamente, la cama.

GLORIA:

Primera: sobre la complejidad del mundo: sí, así es, desde que te conocí todo está mucho muy complejo. Segundo: sobre los lancheros y los tipos con que me topo cuando salgo: okey, yo también siento remordimientos al pensar en ellos y sobre todo en uno que otro turista francés que andaba por ahí en la playa. Y siento remordimientos porque quiero que sepas que con todos y cada uno de ellos te fui fiel. Quiero decir: es muy fácil ser fiel si eres tú, si estás encerrado en este agujero, pero ser yo —ser YO— y serte fiel, te juro que está canijo: quiero decir: necesita ser a propósito, ¿entiendes? O sea: mírame, diario le gusto a alguien y eso es bien atractivo, te juro, gustarle a alguien. Pero salto, eso hago, salto el deseo como si fuera una ola; pienso en ti y lo dejo pasar, y todo por cuidar durante meses y meses el hilito que dices, de mi corazón a tu corazón, y que fíjate: en un cerrar y abrir de ojos desapareció.

Odiseo golpea la cama para quitarle al colchón las huellas de los cuerpos. Luego golpea los cojines.

GLORIA:

Segundo:

ANDRES:

No te estoy oyendo, bombón, perdóname.

GLORIA:

Segundo dije:

ODISEO:

Tercero, creo.

GLORIA:

¡Segundo!: Yo quería que nos llegáramos a amar... a fondo, fuerte, de veras; en la pena y en la. . .

ODISEO:
Dicha.

GLORIA:
Dicha. Quise todo contigo, pero tú lo que querías conmigo era nada más un contrato de exclusividad, que es bien distinto.

Odiseo se encamina a la cocina. Andrés al escritorio.

ANDRES:
Bien. Tengo trabajo.

GLORIA:
Mírame, Andrés: yo no soy un florero.

ANDRES:
Cuánta lucidez: no, no eres un florero.

GLORIA:
No soy una cosa que puedes poner en un rincón de tu vida y voltear a verla cuando tengas ganas y cuando no tengas ganas ignorarla. Yo estoy viva, ¿ves? No soy tu novela que tiene que esperarte para existir.

Andrés frunce el entrecejo. Voltea a otro lado.

GLORIA:
Y quinto:

Silencio largo.
Odiseo entra de la cocina destapando una lata de cerveza.

GLORIA:
Da igual. Así que. . . Así que, ¿podrías bajar mis cosas a mi coche? Mi consola, mi proyector, mi secadora de pelo, mi horno de microondas, mi despertador electrónico.

Andrés se apresura a recolectar por todo el departamento los objetos.

GLORIA:
Mi cuchillo eléctrico, mi licuadora, mi batidora, mi molinator, mi grabadora para el teléfono, mi cosa esa para la tina —¿cómo se llama?

ODISEO:
Regadera.

GLORIA:
No. Mi cosa esa con la que me baño, Andrés.

ODISEO:
Tu patito. Hay un patito en la tina.

GLORIA:
Es un shampoo. Mi. . . harikishna.

ANDRES:
Yakusi.

GLORIA:
Eso. Y mi máquina de escribir y. . .

Andrés voltea a mirarla, estremecido.

ODISEO:
(Suave.) ¡La Singer!

Andrés mira a Gloria con ojos desconsolados.

GLORIA:
(Disculpándose.) Es mía. Bueno, de la oficina de mi hermano. Sólo te la habíamos prestado. . . bombón. . .

Andrés, aún más apresurado, sigue desconectando por el departamento las cosas de Gloria.

GLORIA:
Ayúdale a bajar todo a mi coche, Odi.

ANDRES:
(Consternado.) ¿Odi? ¿O-d-i? ¡¿O-De-I?!

Nadie le responde. Odiseo ayuda a recoger las cosas que le faltan. Gloria va al baño por su secadora de pelo. Andrés va a desconectar la máquina de escribir.

ANDRES:
¡Aay!

Gloria vuelve del baño.

————————

GLORIA:
(*Esperanzada.*) ¿Qué pasa?

ANDRES:
Nada.

GLORIA:
¿Gritaste? No es el fin del mundo, Andrés. . . ¿O sí?

ANDRES:
No pasó nada. Más de lo que ya pasó, nada va a pasar. Créeme.

Andrés se agacha para desconectar la máquina. Salta para atrás. Fuerza una sonrisa.

ANDRES:
Me dio un toque.

Se vuelve a agachar para desconectar la máquina.

ANDRES:
¡Aaay! Ya la desconecté. Vámonos "Odi".

GLORIA:
Ponte los tenis para bajar. No te vayas a cortar con algo.

Andrés se va descalzo. El y Odiseo, cargando los objetos, están por salir, cuando:

GLORIA:
Mis vestidos te los dejo. Pienso cambiar totalmente de vida.

Andrés y Odiseo salen.
Gloria se ha quedado sola, sentada, con la pistola de aire en una mano.
Pausa.

GLORIA:
Tengo razón. Tengo toda la razón. Toda la razón. Por primera vez en mi vida, sé que tengo toda la razón. (*Pausa.*) Y no sé de qué me sirve. Carajo.

OSCURO LENTO

12. *Andrés y Odiseo en sendos sillones.*

Silencio.

Andrés habla sin verlo, casi para sí mismo.

ANDRES:

Usaba liguero. Medias negras. El día de mi pasado cumpleaños me preguntó: ¿qué quieres? Un liguero y medias negras, dije. Y que te las pongas cada mañana frente a mí. Esa imagen de mi infancia, de película de blanco y negro, regálamela, a diario. Y aunque estuviéramos peleados, me la daba. Esa imagen. Aunque nos odiáramos o estuviéramos distraídos ese día, me la daba. La desgracia es que quería ser otra cosa. Ser como yo: complicada. Tener fondos oscuros. Esta maraña de angustias mías, esta búsqueda de sentido, es pura ineptitud, le decía yo, ineptitud para ser. No quieras esto, esta grieta entre tu Yo y el mundo. *(Sigue hablando, pronunciando, pero sin voz.)*

ODISEO:

Es lo que me fascina de los intelectuales. Tienen (en una mano) un vaso y (en otra mano) una coca cola, y el vaso está sucio, con los bordes verdes de sucios. ¿Van a lavar el vaso? No. No. Para eso tienen cabeza, todo lo solucionan ahí. Mientras se beben la coca en el vaso sucio, se ponen a reflexionar sobre las causas socioeconómicas-políticas de las bebeduras de cocas semejantes. Se les va la chava, ¿salen a perseguirla, a convencerla? ¿Para qué? Escriben una novela. Escriben una novela, nadie la compra, lo llaman Literatura Secreta. Hay un levantamiento de yaquis en Sonora, por hambre, por falta de todo, por hambre. Escriben del agravio psicológico en la conciencia yaqui durante la conquista hace 500 años. Todo, con tal de no levantar las nalgas. *(Sigue hablando, pero sin voz, sólo unos momentos.)*

ANDRES:

Hoy nació el Anticristo, ¿qué te parece? Algún tipo se lo había dicho ese día en el foro de los comerciales, que según Nostradamus había ocurrido eso. Le dije: me parece bien, hoy nació. *(Cada frase más enojado.)* No, pero vamos a discutirlo, dijo. Si no estás de acuerdo, exprésalo, no me digas nada más que sí, vamos a hablar sobre el Anticristo. De ninguna manera, dije. De ninguna manera. Me estás pidiendo un sacrificio de amor demasiado grande.

(Pausa.) El siguiente tramo, tranquilos ambos (o al menos en apariencia).

ANDRES:
Así que era cosa de tiempo. Si no hubieras sido tú, hubiera sido cualquier otro.

ODISEO:
Me alegro que lo tomes filosóficamente. Sin embargo, a riesgo de hacer añicos tus bonitas elucubraciones, quisiera decir que/

ANDRES:
No me interesa.

ODISEO:
Que en la vida de cada hombre llega el momento/

ANDRES:
No me interesa.

ODISEO:
De decidir si quiere una pareja, o una dispareja/

ANDRES:
Ahí está la puerta.

ODISEO:
O prefiere la soledad, o los chavos.

ANDRES:
¿Acabaste?

ODISEO:
Acabé.

ANDRES:
Ahora lárgate y no regreses. . . y, si de veras quieres hacerme un favor, muérete.

Odiseo no se mueve.

ODISEO:
Digo: no tienes que decidir ahora mismo.

ANDRES:
Vete.

Odiseo suspira.

ANDRES:
(Exasperándose.) Yo decido quién está en mi casa.

ODISEO:
¿Crees?

ANDRES:
Estoy seguro. ¡Lárgate cabrón!

ODISEO:
¿Tienes una pistola?

ANDRES:
Ya te dije que. . . *(Suspicaz.)* ¿Por qué?

ODISEO:
(Indignado.) ¡¿Por qué?! Despierta, pinche Andrés. Vives en un edificio abandonado. Cualquier día se te mete un mendigo o un loco o un méndigo loco o un ladrón o un marihuano o un mendigo loco ladrón y marihuano, no sé. ¿Y qué vas a hacer para correrlo? ¿Leerle tu novela? De plano, esa flojera espiritual, ese "vive y deja vivir", esa elegante negligencia de que todo te valga un carajo. . . Uta: me incendia los nervios, me. . . pone al borde, hijo. Voy por una cerveza. *(Entra a la cocina.)* ¿Tú quieres?

ANDRES:
De veras vete. Vete. Y no regreses. Porque si me agarras en mis cinco sentidos, me voy a cobrar lo de hoy.

ODISEO:
(Desde la cocina.) ¿Hay limones?

Mientras Odiseo hace un escándalo abriendo y cerrando cajones en la cocina:

SABINA BERMAN

ANDRES:

Primero llegas y me rompes mi plan de trabajo. Luego me agobias con tus historias de la cárcel. Luego me destruyes mi novela. Luego te coges a mi mujer. ¿Qué más voy a dejarte destruir hoy? ¿Y por qué —¿por qué?— ¿por qué te dejo hacerlo? Doblo las manos y te dejo hacerlo. ¿Qué culpa estoy pagándote? ¿Para qué pregunto? Tu miseria. Tu miseria, y en tu miseria toda la miseria del mundo.

ODISEO:

(Saliendo de la cocina con dos latas de cerveza.) No hay limones.

ANDRES:

Llévate las cervezas, ¿está bien?, pero lárgate.

ODISEO:

Pero no hay limones.

ANDRES:

¡Pero ya te fuiste!

ODISEO:

¡Pero no hay limones!

ANDRES:

No me vas a hacer perder la cabeza, ¿eh?

ODISEO:

¿No? Chin.

ANDRES:

Yo soy yo, el sensato, tú el loco.

ODISEO:

Entonces sin limones. Es que, para ser sincero, yo pensaba venirme a vivir aquí.

ANDRES:

¿Qué? Estás delirando.

ODISEO:

En otro departamento, claro. Toma tu cerveza. *(Andrés no la toma.)* Estuve revisando los departamentos y el de aquí enfrente está bastante habitable. *(Da un largo sorbo a su cerveza.)* Toma tu cerveza. *(Andrés no la toma.)*

ANDRES:

¿Cuándo los estuviste revisando?

ODISEO:

Ayer. Antier. Estuve, como quien dice, reconociendo el territorio. *(Eructa.)* Toma tu cerveza.

ANDRES:

Ya no inventes, de veras.

ODISEO:

Si no la tomas, me la tomo. Caso Gloria.

Andrés voltea lentamente a mirar el teléfono. Odiseo sigue su mirada. Al ver el teléfono, sonríe.

ODISEO:

Sí, te digo: pensé que podía enclavarme en el depa de enfrente y que podríamos dedicarnos durante el día cada quien a escribir y en la noche juntarnos y leernos y ejercer la crítica constructiva, y hacernos compañía, como en los viejos tiempos y, no sé, darle chance luego a Borges o jugar un ajedrez, oir música, aunque lástima que la chava se llevó el estéreo... *(Está frente a la ropa. Saca un vestido.)* Mira qué lindo chemise. Y bueno, compartir el pan y la sal, el sueño y el trabajo, la ficción y el silencio; y después del silencio podríamos compartir también... ahora que estás viudo, podríamos... *(Odiseo se acerca a Andrés.)* Quihubas, Penélope. ¿No me reconoces? ¿Qué urdías mientras estaba yo ausente?

ANDRES:

No me toques.

ODISEO:

(Luego de besarlo delicadamente.) Ay dolor. Ay fatiga de ser. No te prometo la luna... Tan sólo un momento de... *(Andrés lo aparta despaciosamente, va al teléfono.)* Lo que sí es que hay que conseguir una pistola, porque a mí no me gusta estar desamparado.

Andrés se desespera de que el teléfono no dé línea. Lo manipula. Sonríe confiado. Marca un número.

ANDRES:
. . . Con el Cachacuás. Aquí de Andrés. Dígale que Andrés, él me conoce. *(Llevándose en una mano el teléfono, camina a pasos lentos, con aire de autosuficiencia.)* Buenas noches, Cachacuás. Con una bronca. Un individuo que se me metió al depa. No, no: sí lo conozco, más bien lo conocía. Me llegó de pronto bastante pirado y. . . *(El cordón del aparato, arrancado de la conexión como lo dejó Odiseo, lo sigue por el departamento.)* Drogo. No, no trae nada encima. Contigo y dos o tres cuates, nada más. . . *(Se ríe. Odiseo, todavía sentado, pisa el final del cordón.)* No, nada más sacarlo, por favor. Fue mi amigo alguna vez, tú entiendes/ *(Al tensarse el cordón, Andrés tropieza. Voltea: ve a Odiseo pisando el cabo del cordón. Odiseo alza el zapato: la punta con los cables sueltos queda visible. Andrés mira a Odiseo con ojos muy grandes.)*

ODISEO:
Saca el ajedrez.

Andrés va de prisa a la cocina. Regresa blandiendo un cuchillo de cocina. Al verlo, Odiseo se ríe, pero se mueve para evitarlo.

ANDRES:
(Siguiendo a Odiseo por la estancia.) Vete. O. . .

ODISEO:
Cuidadito, niño. Esas cosas hieren.

Andrés se apresura a arrinconarlo, Odiseo se escabulle.
Andrés salta un sillón y casi alcanza a Odiseo, pero Odiseo se evade.

ODISEO:
No. Plis. Plis. Perdóname Andrés. Andresito. Compasión. Voy a estar en calma. Por lo menos hasta que llegue el Cachacuás.

De pronto Odiseo lanza una patada que bota a Andrés contra una pared. Se le va encima, Andrés lo evade. Andrés recoge de la mesa sus lentes, se los pone, esto provoca en Odiseo una hilaridad estrepitosa.

Entonces Andrés cobra bríos, persigue a Odiseo, salta un sillón: lo arrincona. Tiene el cuchillo en la garganta de Odiseo.

ANDRES:
Muévete, a la puerta.

ODISEO:
No.

ANDRES:
¡Muévete!

ODISEO:
¡Ay! *(Volteando.)* Qué rudo juegas desgraciado. Me rasgaste la playera.

ANDRES:
Muévete o te mato.

ODISEO:
(Yendo a la puerta con Andrés detrás, clavándole el cuchillo.) Me está doliendo, pinche Andrés.

En el quicio:

ODISEO:
Ya me voy, pero/

ANDRES:
Nada. Lárgate.*(Lo arroja afuera. Cierra. Pero la mano de Odiseo queda entre la puerta y el marco.)*

ODISEO:
Quiero darte/

ANDRES:
Nada.

ODISEO:
Un poema. Te lo escribí en la cárcel, no seas cruel, sólo acéptalo.

Andrés se retira un paso, sin bajar el cuchillo:

ANDRES:
Dámelo.

Odiseo entra. Busca dentro de su saco. Voltea lentamente a mirar a Andrés. Saca una navaja italiana. La abre.

Odiseo se lanza contra Andrés, lo hiere en el hombro. Lo empuja contra la pared torciéndole un brazo. Lanza lejos el cuchillo y luego pone a Andrés al frente.

ODISEO:
Adoro tu sudor. *(Le chupa el cuello.)*

Odiseo lo rodea, le coloca el cuchillo en la entrepierna.

ODISEO:
Quítate la camisa.

ANDRES:
Estoy herido, no puedo.

Odiseo le pica la entrepierna, Andrés se quita la camisa. Odiseo escribe con el puñal en su espalda.

ANDRES:
Por favor.

ODISEO:
T. . . Si te mueves te duele más. Hasta puedes clavarte el lápiz. Eeee. . . Son sólo arañazos, lo juro. Te. . . Aaaa. . . Mmmm. . . Abrete el pantalón.

Lo pica. Andrés obedece.

ODISEO:
O.

Andrés se desploma. Sus lentes caen a un lado.

Odiseo va a recoger el cuchillo de Andrés y sus lentes. Le pone los lentes y le da el cuchillo. Se sienta a esperarlo.

ODISEO:
Te estoy esperando. Te toca, Andrés. Es a doce y muere. ¡Andale, pinche Andrés, pelea!

ANDRES:
Me estoy. . . desangrando. . .

ODISEO:
¡Mientes, te mientes, siempre mientes! Tienes 3 años menos que el Cristo crucificado y todavía te mientes, cobarde! Andrés, ya en serio: yo se dónde y hasta dónde te entró la navaja. Estás sólo rasguñado. Por ésta. *(Pausa.)* No se vale pasar. Te lo advierto: no se vale pasar. Te lo dice el Angel de la Destrucción.

ANDRES:
(Riéndose dolorosamente.) ¡El ángel. . .!

ODISEO:
De la Destrucción.

ANDRES:
Pinche loco.

Odiseo enciende un cigarro.

ODISEO:
Había en la cárcel un viejito. Un viejito simpático. Sonriente. Siempre sonriente. Lo apodaban El Viejito. Tenía su celdita muy ordenada. Fotos en las paredes, de su hermana y los hijos de su hermana, de Julio César Chávez, una foto de una tal Olga, una vedette de los setentas. No molestaba a nadie. Todos lo trataban con cierta deferencia, hasta los guardias. Un día me enteré que El Viejito no quería salir de allí. Había logrado que lo dejaran quedarse. Al fin iba a morirse cualquier día, eso decía. La cárcel era su casa, la conocía bien, conocía sus rutinas, estaba bien ahí. Me dio rabia. Me dio mucha rabia. Me irritaba, me sacaba de quicio verlo tan calmado en su mundito. Con su pasito manso. Empecé a escupirle cuando pasaba. En el comedor le botaba su plato en la cara. Entré a su celda y le rompí sus fotos. La de la vedette, la de la Virgen, todas. Lo traía en jabón al Viejito. Un día lo desnudé a medio patio. Al otro día, ya no estaba. Se fue sin nada, con sólo el uniforme puesto. Al mes su hermana vino a visitarme. Una viejita de ojos brillantes. Me trajo un cartón de cigarros y me dio las gracias. Su

hermano trabajaba en una panadería, dormía en su casa, en fin. Hijo, me dijo así la señora, hijo, has encontrado una misión en la vida.

Silencio largo. . .

ANDRES:
¿Qué queda?

ODISEO:
¿Qué?

ANDRES:
¿Qué queda?

ODISEO:
¿Qué queda. . .?

ANDRES:
Termina. . . y vete.

ODISEO:
No sé, pensé que. . . No sé, podíamos darnos tiempo para leer completa tu novela y en algunos días decidir. . . de común acuerdo. . . Te digo: hay un depa aquí enfrente habitable para mí. . .

ANDRES:
De una vez. Y vete.

ODISEO:
Tal vez la libre.

ANDRES:
No.

ODISEO:
¿Estás seguro?

ANDRES:
Termina. Y vete.

ODISEO:
¿Me vas a dar las gracias?

ANDRES:
No.

ODISEO:

Uta. Qué ingrato trabajo el mío.

OSCURO LENTO

13. *Penumbra. Con lentes negros, Odiseo frente a un basurero en la estancia. Lo riega con una botella de tequila. Arroja un cerillo encendido. Hay una pequeña explosión. Las llamas asoman. Tira un fajo de hojas al fuego.*

Andrés se incorpora con dificultad. Se deja caer en el sofá. Mira el fuego, grandes los ojos.

Odiseo tira otro fajo al fuego.

ODISEO:

(Levantando la diestra.) ¡Salve Nerón! *(Levantando otro fajo de hojas.)* Los que van a morir te saludan. . .

Odiseo lanza el fajo al fuego.

ODISEO:

Bye. Bye.

Andrés se incorpora dificultosamente. Camina, torpemente, por la habitación. Se detiene.

ANDRES:

Este. . . Este. . . Hay algo. . . muy. . . importante. Muy importante.

Odiseo le presta atención.

ANDRES:

Es muy inflamable, el tapete.

ODISEO:

¿Cuál tapete?

Los dos buscan con la mirada en el suelo. No hay un tapete.

Andrés encoge los hombros. Se cubre los ojos. Desfallece. Cae al suelo.

158

SABINA BERMAN

Odiseo mira en silencio a su amigo. Va por su abrigo. Toma de arriba de la cornisa el rollo de billetes, toma la mitad, luego de pensarlo otra mitad de la mitad; guarda el resto en su lugar.

En el quicio de la puerta se vuelve a mirar otra vez a Andrés. Por fin sale.

La novela se consume poco a poco.

OSCURO LENTO

14. En la ventana el cielo negro se va aclarando. Andrés abre los ojos. Se pone y camina trastabillando hacia la mesa. Se sienta sobre la mesa. Silencio. . .

En la ventana el cielo aclara un poco más. La luz es como en la víspera del alba. Andrés se levanta. Va con pesadez hacia el librero. Elige de un vasito con lápices una pluma y toma un fajo de hojas limpias. Regresa a sentarse ante la mesa. Coloca los objetos en la mesa y sobre las hojas coloca la frente. Luego, un rato de silencio.

Andrés alza la cabeza. Toma la pluma. Recarga su punta en el papel. Empieza a escribir. . .

En la luz que va blanqueándose hasta ser la luz rotunda del amanecer, Andrés sigue escribiendo. . .

OSCURO FINAL

El suplicio
del placer

1984-1987

Uno
EL BIGOTE

El: Varón afeminado.

Ella: Mujer masculinoide.

El y Ella llevan el pelo corto y pintado en un color rojo caoba. Son esbeltos, bellos y elegantes —y lo saben—. Hablan y se mueven con una lenta soltura. Se parecen asombrosamente.

La acción se desarrolla en la sala de una suite. Una mesita en la que está el servicio de té y dos tazas. Dos sillas. Es de mañana.

Al encenderse la luz, Ella, sentada a la mesa, lee el periódico. De cuando en cuando bebe un sorbo de té. Va vestida con pantalones y camisa de seda blancos. El aparecerá luego de un rato, vestido como ella.

El entra por la puerta que comunica con el dormitorio. Se le ve aún adormilado. Se acerca a ella y la besa en la mejilla.

EL:

Buenos días, amor.

Ella asiente. Sigue leyendo. El toma asiento.

EL:

Perdona. La hora quiero decir. Creo que anoche tomé un whisky de más.

Ella voltea la página. El la observa detenidamente.

EL:

¿De mal humor?

Ella niega con la cabeza, sigue leyendo. El no deja de observarla.

EL:

Te noto extraña. Como si algo te faltara o. . . ¿Es nueva tu máscara?: ¿tu rímel es nuevo?

ELLA:

Tómate tu té. Está servido.

EL:

(Luego de probarlo.) Está frío.

El se levanta con la taza. Va hacia una maceta y allí vierte el té. Regresa a sentarse, empina la tetera: ya no hay té. La mira con rencor. Observa que el té de su taza aún humea. Ella da un sorbo.

EL:

Ya sé lo que tienes de raro. No traes tu bigote.

Ella baja el periódico.

ELLA:

¿Mi bigote? Por supuesto que no traigo mi bigote. Mi bigote lo traes tú.

EL:

¿Yo?

ELLA:

Mi bigote lo traes tú en tu cara.

El se palpa sobre los labios.

EL:

Ah, sí, disculpa, disculpa.

Ella sigue leyendo. El se ha quedado ensimismado.

EL:

¿Y se puede saber por qué traigo yo tu bigote?

Ella baja de súbito el periódico. Lo dobla enérgicamente. Lo mira con fijeza.

ELLA:

¿Se te olvidó lo de anoche?

El rehúye mirarla.

EL:

¿Lo quieres?

ELLA:

¿Para qué podría quererlo?

EL:

Creí que te gustaba traerlo puesto.

ELLA:

Mientes. Sabes perfectamente que lo uso solamente para no ser importunada. Solamente para eso. Para que no se me acerquen hombres a cortejarme cuando no me da la gana.

EL:

Cierto, cierto, cierto. Lo siento.

Ella desdobla el periódico.

ELLA:

Te lo presté anoche, ¿de veras no lo recuerdas?

EL:

¿La verdad? No tengo el menor recuerdo de anoche.

ELLA:

Sírvete otro whisky.

El va a servirse otro whisky.

ELLA:

Sí, quédate amnésico y luego hazme el favor de fenecer de cirrosis hepática.

EL:

Era. . . Era bonita, supongo.

ELLA:

Iba bien vestida. Con un vestido de crepé negro, escotado, sin mangas. Tenía los ojos verdes, los labios carnosos. . . una piel del color de las almendras. . . Y su cabello azabache, largo, caía sobre sus hombros como. . . como un relámpago de seda negra.

EL:

¿Y fue a mí a quien le gustó?

ELLA:

De nuevo estás insinuando. . .

EL:

No, nada, nada. Me duele la cabeza. ¿Hay hielitos?

ELLA:

Eres tan infantil. Ser mujer no me impide disfrutar la belleza de otra mujer. Admiro todo lo bien logrado que cruza ante mis ojos. Una joya hermosamente trabajada; un potro pura sangre; un cielo salpicado de estrellas blancas. . . Y no necesito llevármelos a casa para disfrutarlos. Lo bello lo contemplo desde lejos. . . Lo dejo ser. . . En cambio tú, en cuanto encuentras algo admirable quieres poseerlo, consumirlo, agotarlo.

EL:

Siento haberte dado motivos para estar celosa, cambiemos de tema.

ELLA:

¿Celosa yo? ¿Yo, celosa? ¿Yo, yo, yo, tú crees que yo, podría, algún día, siquiera por despiste, estar, sentirme, remotamente,/

EL:

Cierto. Es impensable, disculpa. Es que a veces me resulta increíble que seas tan liberal. A veces te irrito solamente para comprobarlo, ¿no es cierto? ¿Hay algo sólido para comer?

ELLA:

Está claro que somos dos personas independientes. Nuestro pacto. . .

EL:

Sí, pero como tú nunca aprovechas nuestro pacto. Soy yo el que siempre. . . y tú nunca. . . En fin, mantengámonos superficiales y seremos felices, amor. ¿Hay galletitas?

ELLA:

(Con vehemencia.) ¿Puedes comportarte como un adulto, por favor? ¿Por qué tengo yo que hacer lo mismo que tú? ¿Por qué te sientes inseguro si haces algo por tu cuenta? Somos dos personas, cada cual con sus propios gustos y deseos. Cada quien es libre de hacer lo que le plazca.

EL:

Ay ya, tienes razón, tienes razón, no quise ofenderte.

ELLA:

No quise ofenderte. Nunca me quieres ofender y a cada rato me estás ofendiendo.

EL:

De verdad te pido disculpas.

ELLA:

Y luego te sientes culpable.

EL:

Soy un bobo, ¿qué quieres?, lo siento.

ELLA:

¿De qué sirve que lo sientas?

EL:

Perdóname por piedad.

ELLA:

Una persona independiente no pide perdón por lo que hace.

EL:

Tienes toda la razón, disculpa.

ELLA:

Una persona independiente hace lo que quiere y no pide disculpas porque no tiene remordimientos.

EL:

Lo siento.

ELLA:

¿De qué sirve que lo sientas?

EL:

¡Tienes razón! ¡Disculpa!

ELLA:

¡Que no me pidas disculpas!

EL:

¡De acuerdo! ¡Perdóname!

ELLA:

¡Me sacas de quicio!

EL:

¡Lo siento!

ELLA:

¡¡Me va a estallar la cabeza!!

EL:

¡¡Es mi neurosis!!

ELLA:

¡¿Tengo yo que padecerla?!

EL:

¡¡¡Me voy a tirar por el balcón para ya nunca contrariarte!!!

ELLA:

¡¡¡Cobarde!!!

El se hinca y le implora.

EL:

¡¡Perdóname ya!! Por favor. . . ¿Puedes perdonarme?

Ella le acaricia el cabello.

ELLA:

Ya me pasaste tu dolor de cabeza.

EL:

No soporto que estés molesta conmigo. ¿Qué haría sin ti? Soy tan débil... Nunca lograré ser una persona independiente sin tu apoyo. ¿Te molestaste otra vez?

ELLA:

Me irrita que tengas que mentirte siempre.

EL:

Dios, perdón.

ELLA:

Sobre todo después de que anoche lograste una seguridad impresionante.

EL:

Lo único que logré ayer fue embriagarme hasta perder la memoria.

ELLA:

No lo recuerdas pero yo que lo vi te lo estoy diciendo. Era casi ofensivo. Te levantaste de nuestra mesa, te acercaste a la suya, y le presentaste tus atenciones.

El se sienta a escuchar, primero un poco incrédulo, un poco desinteresado.

ELLA:

Estabas tan seguro de ti mismo que ni siquiera esperaste a que ella te invitara para tomar asiento.

EL:

Seguro le pareció una impertinencia.

ELLA:

Qué va. Le encantó tu desenvoltura. Se moría de placer mirándote, apreciando la elegancia de cada uno de tus gestos. Qué "charme", "mon chéri".

EL:

Was I really charming?

ELLA:

Ah, exquis.

EL:

(Contento.) If you say so. . .

ELLA:

Con qué deliciosa arrogancia llamaste al "maître" y ordenaste: champagne Brut del 52 y, ah, que los músicos toquen a Strauss.

EL:

¡No: a Strauss! *(Oculta entre las manos el rostro.)* ¡Dios santo, qué cursi!

ELLA:

Qué acertado. Te bastó notar cómo ella te miraba embobada para saber que Strauss era el tono.

EL:

Pero a Strauss. . .

ELLA:

Dulce niña. Te veía como desde un sueño. Eres irresistible con el bigote puesto, y lo sabes.

EL:

Pues sí, es un buen bigote, y me queda bien. Me siento seguro con el bigote. Sé que cuando traigo puesto nuestro bigote soy insoportablemente atractivo. Y luego, ¿qué hice después? ¿Fumé?

Ella irá mimando su relato de manera que actúe como si fuera él y él fuera la morena. Primero prende un cigarro, echa el humo por la nariz.

ELLA:

Serviste el champagne. Brindaron. Le acariciabas una mano sin dejar de verla. Te reclinaste sobre su hombro desnudo y empezaste a cuchichearle al oído. . .

EL:

(Cuchicheando.) ¿Qué?

ELLA:

(Cuchicheando.) ¿Qué?

EL:

(*Cuchicheando.*) ¿Qué le cuchicheaba?

ELLA:

(*Cuchicheando.*) ¿Qué?

EL:

(*Cuchicheando.*) Sí, ¿qué?, ¿qué? ¿qué?

ELLA:

¡Qué voy a saber yo qué le cuchicheabas! No podía escuchar tus cuchicheos desde la otra mesa.

EL:

No, claro, disculpa. Pero mirabas. . .

Ella retoma el papel de él. Deja en el cenicero el cigarro, se pone de pie.

ELLA:

¿Bailamos?

El acepta la invitación.

ELLA:

(*Tomándolo entre sus brazos.*) "El Danubio Azul".

EL:

(*Entre risas nerviosas.*) Ay, madre santa: ¡qué cursi! (*Bailan.*)

ELLA:

Dulce niña. Te miraba como desde un sueño. ¿Cuándo había estado cerca de un hombre tan refinado? Era una pluma entre tus manos. Tus manos delicadas, tus manos expertas. . . (*Va acariciándole la espalda, los hombros, la cintura, las nalgas*). . .

EL:

Lo viste todo. . .

ELLA:

Bueno, casi todo. El resto sucedió a puerta cerrada.

EL:

¿Quieres decir. . .? Pero. . . si apenas y nos habíamos conocido.

ELLA:

Pues. . . ¿qué te digo yo?

EL:

¿Pero tan fácil?

ELLA:

(Luego de sentarse.) Estaba deslumbrada.

EL:

Ya me imagino su expresión al entrar a nuestra suite.

ELLA:

(Molesta.) Fuiste suficientemente delicado conmigo como para no traerla a nuestra suite.

EL:

Sí, claro. Disculpa. . . Te dejé dormir en paz, tomé otra suite para nosotros, y a ella no le expliqué nada. Cuando me preguntó si era casado, simplemente sonreí y dije: No, no, no.

ELLA:

¿Ya recuperaste la memoria?

EL:

Simple lógica. Le hubiera parecido monstruoso. No existen muchas personas libres como tú y yo, ¿no es cierto? Los demás se exigen una fidelidad absoluta, ¿no es cierto? Se sienten tan inseguros de su propio valor que creen que si su pareja conoce a otro serán abandonados. Por eso los celos. Por eso apreciar a otro es tomado por traición. Dicen: o tú o yo, atados por mil juramentos, o tú solo y yo con otro. Ay, qué alivio ser tú y yo. Libres, refinados, bellos, y con todos los otros al alcance de la mano. Aunque a veces. . . no sé. . . a veces. . . ¿Por qué tuerces la boca?

ELLA:

(Irritada.) ¿A veces qué?

EL:

No, nada. A veces me siento culpable de ser tan bello y tan refinado y tan libre y de tener a todos los otros al alcance de la mano.

ELLA:

Oh no. *(Se pone a leer el periódico.)*

EL:

En el fondo soy un socialista. . . Pero aún más al fondo estoy convencido de que la pobreza no debe combatirse; la pobreza es sublime y los feos son tiernos. Creo que el olor a manzanas podridas y orines rancios de las ciudades perdidas es el olor del alma... Del alma que no me encuentro en el pecho...

ELLA:

(Todavía leyendo.) ¿Te doy una aspirina para la cruda?

EL:

Mejor pásame la sección cultural (del periódico).

ELLA:

Sociales o Espectáculos. Este periódico no trae sección cultural.

EL:

La aspirina entonces.

ELLA:

Ve por ella.

EL:

¿Dónde hay? ¿En el baño o en la cocineta?

ELLA:

En una farmacia.

EL:

Puedo llamar al *room service. (Pero nada hace.) (Pausa.)* ¿Sabes? *(Ella sigue leyendo.)* ¿Sabes por qué mis pequeñas aventuritas se me borran de la memoria? Por culpa.

ELLA:

(Todavía leyendo.) Bingo.

EL:

Más precisamente, por tu culpa. Porque no son mis aventuritas las que me remuerden. Son las tuyas. . .

ELLA:

¿Las mías? Pero si yo no tengo. . .

EL:

Por eso me remuerden: porque no las tienes. Me predicas las delicias del amor libre, me predicas su valor civil incluso: que es una manera de democratizar a la masa. . . una manera de repartir un poco la belleza, pero tú nunca. . . No te molestes si te lo recuerdo, pero tú nunca te compartes con nadie. Te voy a pedir. . .

ELLA:

(Poniendo a un lado el periódico.) ¿Sí?

EL:

Te voy a rogar. . .

ELLA:

¿Sí?

EL:

Nada.

ELLA:

Coyón.

EL:

Te voy a exigir que por mí, por mi salud mental, de pronto, cuando estemos en público, te quites el bigote, dejes que se te acerque algún galán, y te compartas. Si yo te viera actuar como una mujer liberada no me sentiría mal por las mañanas.

ELLA:

¿Cómo te atreves? ¿Quieres limitar mi libertad pidiéndome que actúe como una mujer libre cuando soy tan absolutamente libre que no necesito actuar como si fuera libre?

EL:

Cuánta lucidez.

ELLA:

El sexo, además, es una actividad sobrevalorada por los espíritus carentes de nivel abstracto.

EL:

No lo había pensado así.

ELLA:

Además tú tienes la culpa de que use el bigote. Si me presentaras como tu mujer. . . si no me dejaras sola para ir a otras mesas. . . Yo no deseo a otros, soy libre de no desearlos y tú me dejas allí sola y ellos me importunan. . . Así que a falta de marido que espante a los galanes, me pongo un bigote.

EL:

Pero te contradices. Desde hace minutos te contradices. Me avientas a estas aventuras y de pronto ahora/

ELLA:

Te aviento para que ganes seguridad y/

EL:

Por eso, pero te contradices.

ELLA:

¿Ah, me contradigo? ¿Y qué quieres que haga?: soy una persona compleja.

EL:

(Maliciosamente.) ¿Has visto cómo te miran las mujeres cuando llevas el bigote? ¿Cómo te sonríen?. . . Eres irresistible con el bigote y lo sabes. Y lo disfrutas.

ELLA:

¿Qué estás insinuando, cariño?

EL:

Pues a veces me das qué pensar. Sólo tienes ojos para las mujeres bellas. Me las señalas, me aconsejas cómo acercármeles. . .

Ella lo mira con fijeza. El se arrepiente de haber dicho lo que dijo.

EL:

No es cierto. Bromeaba. No me mires así. No soporto que me mires así. Es evidente que no te gustan las mujeres. Si no te gustaran los hombres no te gustaría yo, ¿verdad?, y es evidente que yo te gusto porque soy un hombre.

ELLA:

¿Es evidente?

EL:

¿No es evidente?

ELLA:

¿No es evidente qué?

EL:

Que te gusto porque soy un hombre.

ELLA:

Me gustas. Eso es evidente.

EL:

Dilo completo. Di: me gustas porque eres un hombre.

ELLA:

Ya te dije que me gustas. Estaba leyendo el periódico.

EL:

Dilo palabra por palabra. Di: me gustas porque eres un hombre.

ELLA:

Eso creo que también es evidente.

EL:

Evidente. Sólo para ti es evidente. Yo no puedo verme. No puedo mirarme con mis ojos. Sólo puedo ver qué soy en tu mirada, y cuando me miras así, de arriba a abajo. . .

Ella distrae la mirada.

EL:

No. Veme. Dime qué ves.

ELLA:

No puedes obligarme. . .

El la obliga a sostenerle la mirada.

EL:

Dime, ¿qué ves?

ELLA:

Veo que eres débil. Inseguro. Que no puedes comportarte como una persona independiente de mí. Y aún así me encantas.

EL:

Porque soy un hombre.

ELLA:

Porque no puedes comportarte como una persona independiente. Porque eres débil. Inseguro. Porque me necesitas para saber si eres o no un hombre.

Pausa.

EL:

Tú me hiciste así. Yo no era así antes. Día a día me has ido cambiando. Junto a ti soy nadie. Pero en cuanto me aparto de ti soy otro. Por ejemplo ayer; tú tenías sueño, no querías nada conmigo, así que fui y me conseguí otra mujer. Otra mujer más hembra que tú, más suave, más fresca, más joven. Su cuerpo lentamente desnudo, deberías haber visto a esa dulce niña desnuda frente a mí, mirándome como desde un sueño. Ah, mis manos por su piel tersa. Qué lenta piel, qué suave. Sus senos. Su vientre. Su pubis. Su larga espalda. Su boca esperándome abierta y estremecida. Dulce niña. . . No sabes qué placer dilatarse en caricias. Qué placer sentirla en la red y poder tomarla o dejarla. Su cabello cayendo entre mis dedos, cayendo como. . .

ELLA:

Como un relámpago de seda negra.

EL:

Cuánta libertad: poder tomarla o dejarla. Cuánta libertad. . . La sentí desabotonar mi camisa. . . La dejé besar mi pecho. . . Le bajé el rostro. . . Mi pantalón, dije, ábrelo, con los dientes. ¡Con los dientes dije! Mi sexo. Tómalo. ¡Que me agarres el pajarito, niña! No, lloriqueos, por piedad, no. ¡Vete!, pero lágrimas no. Sentí su mejilla húmeda contra el abdomen, su mano temblorosa, cálida,

entrando entre mi ropa, buscando. . . buscando. . . encontrando. . .
Lo besó. ¡Lo besó! Lo besó, lo besó, lo besó. . .

ELLA:

¿Y entonces?

EL:

Entonces. . . lo besó otra vez, otra vez. . . Y entonces. . .

ELLA:

Nada.

EL:

Nada.

Ella cierra los ojos, se ríe suave.

EL:

La vergüenza. . .

Cambio de luz a otra que sugiera el ensueño.

ELLA:

(Los ojos cerrados.) Buscaba a. . . un ruiseñor. Era otra vez niña.
Era un bosque, muy azul. Y yo. . . buscaba. . . ¿Dónde está mi
ruiseñor?, le pregunté a un sauce.

EL:

La vergüenza. . .

ELLA:

¿Lo tienes tú, sauce llorón? *(Pausa.)* Ay, está muerto.

*Cambio a otra luz de ensueño, oscura. Ambos sentados lado a
lado, cansados, inexpresivos, monótonos.*

EL:

(Muy suave.) Te odié como nunca he odiado a nadie, como sólo
puedo odiarte a ti, como te odio siempre en esos momentos en que
sé que tú me has empujado a enfrentarme con el asco de otro, con
su infinita lástima.

*Los siguientes parlamentos son dichos indistintamente por él o
ella. (Cada renglón es una unidad.) Y pueden duplicarse.*

EL O ELLA:

(*Alternando, sin emoción, sin pausas.*) Es un mundo feo. Los otros son feos. Te exigen ser otro. No te quieren como eres. Nadie te acepta como yo. Yo te amo. Tú eres yo. Sólo yo comprendo el dolor de ser como eres. Yo soy tú. Yo me amo en ti. Yo conozco tu vergüenza. Tú eres mi vergüenza. Escóndeme. No vayas con los otros. Vete a comprobar que no te quieren. Sólo yo te quiero. Sólo conmigo puedes mostrarte entero. Llorar así. Así. Sólo yo te quiero. Entiéndelo: sólo yo, sólo yo, sólo yo te quiero. . .

Otro cambio a otra luz oscura y de ensueño. Ambos se arreglan la ropa y el peinado.

EL:

Llorabas mientras dormías.

ELLA:

¿Cuándo?

EL:

Recién ahora, antes de que habláramos.

ELLA:

¿Sí?

EL:

Antes de que te despertara para que habláramos. Entré al dormitorio y en la oscuridad te escuché llorar. ¿Llorabas por mí?

ELLA:

Soñé que era de nuevo niña. Estaba ciega y buscaba a tientas un ruiseñor en el bosque. Luego. . . El sueño se cortó.

El y ella se acarician, mientras entra lentamente la luz diurna.

EL:

Anoche. Anoche fuimos demasiado profundos, mi amor. Nos pone mal eso; a mí, al menos, me descompone, me despeina por fuera y por dentro. Perdón.

ELLA:

Está bien.

SABINA BERMAN

EL:

Eres bella. Fría y bella como una diosa de mármol. Te lo había dicho antes, ¿no es cierto?

ELLA:

Alguna vez.

EL:

¿Ayer en la noche?

ELLA:

Ayer en la noche.

EL:

Sí, algo recuerdo. Con el bigote eres de carne, pero aún peligrosa: ¿lo quieres?

ELLA:

No. ¿Para qué? Esta noche no habrá otra mujer que me tiente.

EL:

¿Cómo lo sabes?

ELLA:

Lo sé.

EL:

Cuánta lucidez. Todo lo sabes.

ELLA:

Pero si tú quieres quitártelo. . . Tal vez haya un hombre que te guste y si quieres que se te acerque tienes que quitarte el bigote.

EL:

No. Hoy me gustas tú más que ningún otro hombre. Eres irresistible con el bigote puesto. Póntelo.

El mismo se lo pone. Le acaricia el bigote.

EL:

Como un relámpago de seda negra. . .

Se besan en los labios.

OSCURO

_____

Dos
LA CASA CHICA

El: Un hombre maduro, obsedido por su propia importancia, vestido ostentosamente.

Ella: Una mujer de medidas tipo concurso de belleza.

Un departamentito. El espera mientras Ella se arregla ante el espejo. Ella va en una bata.

EL:

¿Ya estás lista?

ELLA:

(Voz desfallecida.) Ya casi.

EL:

¿Qué quiere decir ya casi? ¿Cinco minutos? ¿Dos horas? ¿Una semana? ¿Una centuria? ¿Un milenio?

ELLA:

Ya casi.

EL:

¿Cuántas horas al día pasas frente a ese espejo, eh? ¿No sabes? Claro que no sabes. Tienes un reloj Cartier en la muñeca pero nunca lo miras. Quince rubíes, una maquinaria de oro blanco, trabajando inútilmente. ¿Sabes cuánto me costó? No, no sabes. ¿Me preguntaste cuánto pagué por él? No, es de mal gusto. Medir es de mal educados. Los números son una vulgaridad. Que los pobres midan, no tú. ¿Sabes cuánto me cuestas al año? Qué te importa. Eres igual a mi esposa. Desde hace años sabe que la engaño pero mientras no tenga que medir sus gastos, qué le importa si le soy infiel. Todas las mujeres son iguales. En lugar de corazón tienen una cartera. Pero lo que no saben ni tú ni ella es que ustedes no tienen nada. Ustedes sólo reciben. Yo soy el rico. Ustedes lo que compro. Son mi lujo: mis relojes Cartier. El único que aquí paga soy yo, ¿me escuchas? Ah, cuando me muera. Seguro ya calculaste qué pasará cuando me muera. Mi esposa cree que ella se va a quedar con todo. ¿Tú que crees? ¿Te voy a dejar algo a ti?

¿Sería justo que te indemnizara por los mejores años de tu vida brindados a un tipo que ni en sueños te ha pedido matrimonio? Y bien, ¿qué crees? Mi esposa cree que ella se va a quedar con todo. Ilusa. Pues sí, se va a quedar con todo. Con todo. Nada para ti, ¿qué te parece?. Todo para ella. Incluyéndote a ti, claro está. A ver qué hace contigo. Ya me imagino: ¡lúbricas! ¿Me estás escuchando? Carajo: cuando hablo quiero que me escuches, también para eso te pago. No soy tu reloj Cartier que hace tic tac tic tac para nada. ¿Me escuchas?

ELLA:

Sí mi amor.

EL:

(Imitándola.) Sí mi amor. ¿Amor? ¿A quién crees que engañas? El amor no tiene nada que ver en esta casa. Tú eres mía no porque me ames sino porque te compré. ¿Entendido?

ELLA:

Sí, mi vida.

EL:

Cínica. ¿Cuánto te falta? ¿No sabes? No, no sabes. ¿Y no podrías aventurar una cifra aproximada? Trata. Haz un esfuerzo. No te vayas a desmayar tratando de pensar. ¿Y bien?

ELLA:

Ya casi.

EL:

¿Sabes cuánto tiempo paso yo al día frente al espejo? Cinco minutos, exactamente. Uno para lavarme la cara y los dientes. Uno para peinarme. Uno para rasurarme. Y los últimos dos para ponerme nostálgico mirándome la papada. Juar. Ríete de mi chiste. No soy tu reloj Cartier que hace tic tac tic tac en vano.

ELLA:

Ja.

EL:

Yo no tengo tiempo de contemplarme en el espejo. Yo trabajo, ¿sabías? Como las manecillas de tu Cartier estoy duro y dale, duro y dale sin parar todo el santo día. Y ¿para qué? Para mantener mujeres inútiles. Mujeres cuyo único trabajo es ser mujeres, carajo. Sí, eres mi lujo, mi Cartier de oro blanco, pero cuando quiera te tiro al basurero. ¿Escuchaste?

ELLA:

Ja.

EL:

¿De qué te ríes? Ese no fue un chiste, fue un insulto. Por lo menos tu Cartier no hace tac cuando le toca hacer tic. Cuando te insulte quiero oírte sufrir. ¿Está claro?

ELLA:

Sí, muñeco.

EL:

¡Muñeco! ¿Así que crees que soy tu títere? Estúpida.

ELLA:

Ay.

EL:

¿A eso le llamas sufrir, imbécil?

ELLA:

¡Ay!

EL:

Tarada.

ELLA:

¡¡Ay!!

EL:

Babotas.

ELLA:

¡¡¡Ay!!!

EL:

Eso, así, muy bien.

ELLA:

Gracias, ángel.

EL:

Vete al diablo.

ELLA:

¡¡¡Ay!!!

EL:

Un día de verdad te voy a mandar al diablo.

ELLA:

Ja.

EL:

Esa no fue una broma, cara de. . .

ELLA:

¡¡¡¡Ay!!!!

EL:

Déjame terminar, carajo. Cara de. . . Además, lo de que un día te voy a mandar al diablo tampoco fue un insulto. Fue una advertencia.

ELLA:

¿Y qué hago?: ¿río o lloro?

EL:

Una advertencia se advierte, nada más.

ELLA:

¿Cómo se advierte?

EL:

Uno abre muy grandes los ojos y siente taquicardia y. . . ¿Todo hay que explicártelo? *(Mientras va al teléfono y marca un número.)* Demonios. No entiendo cómo sobrevives de un día a otro cuando yo no estoy aquí. No eres más que una vaca echada mirando pasar la vida como un tren. *(Al teléfono.)* Hola. Soy yo. Sí, yo. Mira mi amor, estoy en una junta de negocios que parece que. . . No fue

un chiste, ¿de qué te ríes? Estoy con el señor presidente y varios
industriales y banqueros y parece, te decía, que la junta se va a
prolongar un poco... No sé, supongo que como medio año. Ya ves
que este presidente se ha propuesto hacernos trabajar ahora sí a
todos para el bienestar común de la nación sin reparar en el tiempo
y el esfuerzo que esta patriótica empresa implique. Sí, ahora sí
puedes reírte... No, no me la pases. Por favor no me la pases. No,
no, ¡no! *(Transición.)* Hola mirruñita castañita caprichito del señor... No, papi llega ya nochecita, así que usted póngase un besote
en la manita y luego la manita con todo y el besote se la pone de
mi parte en la frentecita; luego se pone la pijama, se mete a la
camita y sueña con la virgencita y los... ¡¿Cómo que ya no hay
vírgenes?! Mira escuincla: aunque tengas dieciocho años sigues
siendo pura e inocente, ¿está claro? *(Cuelga.)* Ya no hay vírgenes,
hija de su puta madre. ¿Cuánto te falta??! ¡¿Aún no tienes ni la más
repajodida idea?! A ver si te vas apurando. No soy tu reloj Cartier
que hace tic tac tic...

Ella sale del vestidor, vestida, pintada y deslumbrante.

EL:

    (Embobado ante la belleza de ella.) Tac-tic, tuc... *(Cantando.)*
    "Ven, que quiero enloquecer de placer..."

ELLA:

    ¿Qué tal me veo, gatito?

EL:

    En tono de bellísima: Horrible. Y la gata eres tú, mamacita.

ELLA:

    ¿Horrible, baby?

EL:

    Baby de mi bendita madre, no de una lépera inmunda.

ELLA:

    ¿Papito, papito, de veras horrible?

EL:

    ¡Que no somos familiares, demonios! No me hagas estallar de rabia.

ELLA:

Ay mi rey moro: mi etrusco sedicioso: mi primer mandatario de mi vida entera.

EL:

Así está mejor.

ELLA:

Mi bomboncito de chocolate amargo: dime que no horrible, que no horrible, por favor.

EL:

Horrible. Horrorosa. Horripilante. Tantas horas frente al espejo para que quedes como arbolito de navidad pornográfico.

ELLA:

¿Me juras que ya no te gusto?

EL:

Dios mío, qué frustrante eres. Ojalá mi esposa, cuando te herede, pueda hacer contigo algo de provecho. ¡No te sonrías! No te atrevas a burlarte de mi mujer ni siquiera en silencio. Mi mujer, mi pobre, mi sabia esposa. Dios mío, ¿por qué me hablas de mi mujer en esta situación, maldita piraña? Mi cónyuge legítima es una mujer admirable, quiero que quede absolutamente claro eso. ¿Qué le importa si le soy infiel mientras le dé con qué mantener dignamente nuestro hogar? Toda su resignación para que yo pueda parecer decente ante la sociedad, para que mis hijos no tengan que ocultar el rostro por mi culpa. Santa mujer mi esposa. En cambio tú. . . Mira qué facha. Impúdica. Quítate esas plumas de vedette. ¿Quieres que mis hijos tengan que ocultar el rostro? ¿Cómo te atreves a salir conmigo con el pelo así? Mira, te voy a mostrar una fotografía. . . Sí, aquí está, mírala, es la fotografía de mi esposa: apréndetela de memoria: mira cómo se arregla ella para salir conmigo. ¿Ves?: cada detalle para que digan: pero qué pareja más recatada, más bien asentada, tan decentes, carajo. ¿Ya viste tu escote, desvergonzada?

Tira del escote y el vestido se rasga, mostrando la redonda desnudez de ella, apenas cubierta por la mínima ropa interior.

EL:

(*Deslumbrado.*) ¡Pero qué puta, dios mío, qué puta!

ELLA:

¿Y ahora sí ya te gusto, papi?

El la jala al sillón. La acuesta. La acomoda bruscamente a su antojo mientras amenaza:

EL:

Habría que encerrar a las mujeres como tú. Destructoras de hogares felices. Ficheras caras. Corruptoras de la moral. Parásitos de la economía nacional. Meretrices. (*Si mi mujer me diera permiso de hacer lo que estoy haciendo, ¡la mato!*) Güilas. Víboras venenosas. Emisarias de Satán. (*Montándola.*) Te voy a llevar al paroxismo, ¿entendido?

ELLA:

Sí baby, sólo me avisas cúando.

EL:

(*La abofetea.*) Ignorante. En cuanto pierdas toda noción del tiempo y el espacio es que habrás llegado al paroxismo, ¿entendido?, pero cuidadito entonces y le das un golpe a tu Cartier, ¿me estás escuchando? Quince rubíes valen más que toda tu abyecta, sucia, retorcida, paranoica, traicionera sexualidad, ¿está claro?

La penetra.

EL:

¡Santa mujer mi esposa!

ELLA:

Oh, oh, oh: oh papi: ¡el paroxismo!

OSCURO

Tres
LA PISTOLA

El y Ella: Un matrimonio que se considera a sí mismo antiguo.

La acción sucede en la sala. Una mesa. Un librero. Un sofá. Puerta a la cocina. Puerta al dormitorio. Puerta a la calle. Ventanas. Es de noche.

Están espalda contra espalda; a cada frase dan un paso, como en los preliminares de un duelo.

ELLA:

No entiendo.

EL:

No entiendo.

ELLA:

No entiendo.

EL:

No entiendo.

ELLA:

No entiendo.

EL:

¿No entiendes qué? *(Se vuelve.)*

ELLA:

(Volviéndose.) No sé. No lo entiendo, sencillamente. Y tú, ¿qué es lo que no entiendes?

EL:

Lo mismo que tú.

ELLA:

Eso no es posible. ¿Cómo puedes no entender lo que yo no entiendo si yo no entiendo lo que no entiendo?

EL:

Espera. Creo recordar algo. Llegué a la casa una noche. Llevaba bajo el brazo un paquete. ¿Ya recuerdas?

ELLA:

Algo recuerdo. . . Te pregunté: ¿qué es eso? (*Aquí el recuerdo se vuelve acción presente.*)

EL:

¿Te refieres al paquete? No es nada.

ELLA:

¿Cómo nada?

EL:

Un paquete.

ELLA:

¿Qué hay dentro?

EL:

Nada. Nada importante.

ELLA:

¿Qué es? Dímelo. ¿Por qué no me lo dices?

EL:

Es una pistola.

ELLA:

¡¿Una pistola?! ¡¿Por qué traes a la casa un arma?!

EL:

Es un revólver de bajo calibre. Cada día esta ciudad es más peligrosa. Ayer por la noche asaltaron a un amigo. En su propia casa, dos tipos con las caras cubiertas con medias. . . (*Ella se angustia más.*) ¿Qué pasa?

ELLA:

Nada.

EL:

Dímelo.

ELLA:

Voy a servir la cena. (*Se mete a la cocina.*)

EL:

Y eres tú la que se queja de los secretos. . .

SABINA BERMAN

ELLA:

(*Saliendo.*) Vamos a cenar fuera de casa.

EL:

¿A esta hora? ¿No preparaste algo de cenar?

ELLA:

Sírvetelo tú. Tengo jaqueca. Me voy a dormir.

EL:

¿Qué sucede?

ELLA:

Nada.

Ella entra al dormitorio.

EL:

¿Nada? María. ¡María! (*Para sí, a solas.*) Estoy harto. ¿Cuánto más puedo soportar esto?... Calma...

Ella sale muy agitada.

ELLA:

Tengo miedo. Ayer asaltaron a tu amigo en su propia casa.

EL:

Ven. (*La abraza.*) Vamos al cuarto.

ELLA:

¿No quieres que te sirva de cenar?

EL:

Tienes jaqueca.

ELLA:

No importa.

EL:

No quiero molestarte.

ELLA:

Podemos salir a un restaurante.

EL:

Se me quitó el hambre.

———

ELLA:
De verdad, no estoy tan mal. Puedo prepararte algo rápido. ¿Un omelete?

EL:
No, de veras se me quitó el apetito.

ELLA:
¿Un bistec?

EL:
No.

ELLA:
¿Un poco de fruta?

EL:
¿Qué fruta hay?

ELLA:
Déjame ver. *(Se mete a la cocina.)*

EL:
¿Hay manzanas?

ELLA:
No.

EL:
¿Melón?

ELLA:
No.

EL:
¿Plátanos?

ELLA:
No hay fruta.

EL:
Bueno, entonces el omelete.

(Pausa) Ella vuelve de la cocina. Se restriega nerviosamente las manos.

SABINA BERMAN

ELLA:

Se acabaron los huevos. ¿Quieres el bistec?

EL:

No tengo hambre.

ELLA:

¿Por qué mientes? Acabas de pedirme un omelete.

EL:

Se me quitó el hambre.

ELLA:

Preguntaste qué fruta había.

EL:

Se me quitó el hambre.

ELLA:

Querías un omelete.

EL:

Está bien. Prepárame un omelete.

ELLA:

Te dije que no hay huevos.

EL:

No tengo hambre.

ELLA:

¿Por qué mientes?

EL:

No quiero un bistec.

ELLA:

Vamos a la cama.

Siguen hablando monótonamente, sin escucharse.

EL:

Ahorita no.

ELLA:

Estoy enferma de aburrirme. Esta monotonía. ¿Cuándo empezó...?

EL:

¿Sabes qué, María?

ELLA:

¿Qué?

EL:

No sé. Es decir. . .

ELLA:

¿Qué?

EL:

No importa. Vamos a la cama.

ELLA:

¿De verdad no quieres. . .?

EL:

No.

ELLA:

¿Nada?

EL:

Nada.

ELLA:

Apaga la luz.

EL:

Vamos. . .

El apaga la luz. Entran al dormitorio. El vuelve a salir, camina en la penumbra de la sala. Ella se asoma.

ELLA:

¿Quién es? *(Pausa.)* ¿Humberto? ¿Dónde estás? *(Pausa.)* ¡Humberto!

EL:

Aquí, aquí. Estoy aquí.

ELLA:

¿Por qué tardaste en responderme? ¿Qué haces?

EL:

Vine por una fruta.

ELLA:

No hay fruta. Te lo dije cuando me pediste.

EL:

Se me olvidó.

El vuelve al dormitorio. En el vano de la puerta ella lo escruta detenidamente de pies a cabeza.

EL:

¿Qué?

ELLA:

Nada.

Entran. Cierran la puerta. Al poco rato sale ella. Camina en la penumbra intentando no hacer ruido. El se asoma.

EL:

¡María!

Ella se queda petrificada, mirándolo.

EL:

¿Qué haces fuera del cuarto, María?

ELLA:

Vine. . . a ver si las ventanas estaban cerradas con seguro.

EL:

¿Y?

ELLA:

Todavía no las reviso. *(Se pone a revisarlas.)*

EL:

¿Por qué no enciendes la luz? ¿Enciendo la del cuarto? *(La enciende.)*

ELLA:

Están cerradas.

EL:

¿Y el seguro de la puerta?

ELLA:

También.

EL:

Ah, la pistola. *(Va a tomar el paquete que ha dejado sobre la mesa.)*

ELLA:

¿Qué vas a hacer con ella?

EL:

Sacarla del paquete.

ELLA:

¿A dónde la llevas?

EL:

A la recámara.

ELLA:

¿Para qué?

EL:

Si la compré por si entra un ladrón no voy a dejarla a la entrada. . . *(Ella tiembla.)* ¿Qué pasa, María? Estás muy nerviosa.

ELLA:

Me inquietó lo de tu amigo. Lo del asalto.

EL:

A mí también. Por eso compré la pistola.

ELLA:

Es una idiotez. Cualquier tipo entra a tu casa y sin saber por qué amaneces muerto.

EL:

Sí, una idiotez.

ELLA:

(Mirando su entorno.) Qué frágil es todo esto.

EL:

Vamos a dormir.

ELLA:

Deja aquí la pistola. Me dan miedo las armas.

EL:

No seas niña. Es una bellísima pistola. Mírala. Compacta, liviana.

ELLA:

No juegues, puede dispararse.

EL:

Qué bueno que me lo recuerdas. *(Le apunta. Ella retrocede aterrorizada. . . El dispara. No está cargada. Se ríe.)* No está cargada. Carajo: antes tenías sentido del humor. . . *(Sonríe tristemente. Vuelve a la mesa. Saca un estuche de balitas y empieza a cargar la pistola.)*

ELLA:

No la cargues.

EL:

¿Qué sentido tiene tener una pistola si no está cargada? ¿Has visto qué balitas? Qué maravilla, ¿no?

ELLA:

¿Qué maravilla? Es terrible que algo tan pequeño pueda terminar con todo esto.

EL:

No debí decirte lo del asalto.

ELLA:

No debiste traer la pistola.

EL:

(Pistola en mano.) Vámonos a dormir.

ELLA:

(Llorando en el quicio del dormitorio.) Por favor. . . *(Se cubre la cara con las manos.)*

EL SUPLICIO DEL PLACER

EL:

(*Irritado.*) Está bien. Está bien. La dejo en la sala.

Guarda la pistola tras de los libros. Entra al dormitorio. Ella se descubre la cara, sale a la sala. Busca con la mirada.

ELLA:

Lo sabía. Mentiste. No está aquí.

EL:

La guardé.

ELLA:

¿La escondiste? ¿Dónde?

EL:

¿Para qué quieres saberlo? Es mejor que no sepas dónde quedó. Así no te preocupará cada que te le acerques.

ELLA:

Dime dónde quedó.

EL:

No quiero.

ELLA:

Dímelo.

EL:

Ya por favor. Mañana tengo qué hacer. Quiero dormir.

Si la luz del dormitorio estaba prendida, se apaga. Ella, en la tiniebla empieza a buscar hasta dar con la pistola. El se asoma.

EL:

¿María?

Ella se esconde tras el sofá. El se pasea por la sala.

EL:

¿María?

Ella entra al dormitorio corriendo y cierra con llave la puerta. El toca en la puerta con los nudillos. Nadie responde.

EL:

No seas niña, María. Abreme. Creíste que. . . María, por favor, ¿por qué habría yo de. . . ¿a ti?, ¿a mi esposa?

ELLA:

Me odias.

EL:

(*Suavemente, con tono comprensivo.*) María.

ELLA:

¿Verdad que sí? Yo lo comprendo. Estoy enferma. . . mis temores. . . mis angustias. . . Te arrepientes de haberte casado conmigo.

EL:

María.

ELLA:

Yo no te engañé, Humberto. Yo no era así cuando nos conocimos. Pero si lo que quieres es deshacerte de mí. . . no era necesario. . .

EL:

María.

ELLA:

Bastaría decírmelo, te lo juro. El divorcio. . . No te pediría nada a cambio.

EL:

Está bien.

ELLA:

¿Qué está bien? ¿El divorcio está bien?

EL:

Ya basta.

ELLA:

Nos equivocamos, eso es todo. Es humano equivocarse.

EL:

¿Quieres tú el divorcio?

ELLA:

Sí.

EL:

Muy bien. Mañana vamos con mi abogado. ¡¿Quieres tú divorciarte de mí?! ¿Pero por qué?

ELLA:

Porque tú no me amas.

EL:

¿Yo?

ELLA:

Tú.

EL:

Yo te amo, te sigo amando.

ELLA:

Te peso, estoy mal. . .

EL:

No estás mal, no me pesas.

ELLA:

Es muy difícil convivir conmigo, cada vez más difícil. . .

EL:

Es difícil convivir, María. Nunca esperé que fuera fácil.

ELLA:

Contigo me siento culpable de ser quien soy. No quiero sentirme culpable de ser quien soy.

Pausa.

ELLA:

¿Humberto?

EL:

Cuando me casé contigo te perdoné todo de antemano.

Pausa.
Ella abre. Le entrega la pistola.

ELLA:

Lo siento. Lo siento mucho. Fue un como. . . ataque de. . .

EL:

Olvídalo. Vamos a dormir.

ELLA:

Me dio miedo lo del asalto.

EL:

Sí. . .

ELLA:

Me inquietó.

EL:

Vamos. . .

ELLA:

(Rogando.) La pistola. . .

El asiente, apretando los dientes. Deja la pistola sobre la mesa. Entran al dormitorio. Ella sale. Revisa las ventanas. Ve la pistola y va a tomarla. Está por guardarla tras los libros cuando un ruido en la puerta que da a la calle la sobresalta. De pronto, un rostro en una ventana. Ella grita. Dispara varias veces al intruso. El intruso grita y desaparece. Pasos tambaleantes que se apresuran a la puerta.

ELLA:

¡Humberto! ¡Humberto!

Entra el extraño, con la cara sangrante cubierta por una media. Ella lo reconoce.

ELLA:

¡Humberto!

El habla tambaleándose, con pausas a las que la herida le obliga.

EL:

Salí. . . por la ventana del cuarto. . . Venía por la. . . pistola. *(Alarga la mano pidiéndole la pistola, pero ella retrocede un paso. Explicativo:)* Es que, María, entiéndeme. No era suficiente separarnos. ¿Cómo? ¿Nada más decirnos adiós luego de tanta. . . infelicidad?

ELLA:

Yo. . . no tengo la culpa de. . .

EL:

¡La culpa! No seas superficial, carajo. . . ¿Quién quiere hacer justicia. . .?

Ella se deja dócilmente quitar la pistola. El le apunta.

EL:

Poner fría la cara que. . . me ha visto desde que fui. . . hasta que ya no soy. . . joven. Desde que ya no. . . tengo esperanza. Desde que ya no. . . no, ya no. . . puedo. Con tantos días. Los de atrás. Los que me faltan. Son demasiados los. . . lunes, ¿me entiendes, María?, ¡contesta: ¿me entiendes?!

ELLA:

Sí.

EL:

Demasiados. . . los. . . domingos y los amigos. . . que ya no. . . la hicieron. . . y esos pocos que sí. . . son. . . demasiados. Sí me entiendes, María.

Ella asiente.

EL:

Sí. . . me entiendes. Yo. . . te prometí demasiado. Ni te imaginas: la mitad te la dije, la otra mitad. . . me la guardé, disfrutaba a solas. . . todo lo que te iba a dar. . . porque debes saber que todo, todo te lo iba a . . . y al final de cada fracaso ahí estabas, ahí estás, un espejo. . . opaco, roto. . . A ver si me cambia la cara. . . *(Le dispara. Pero la pistola está descargada. El prorrumpe en risotadas.)* Te digo: no sirvo. ¡No te muevas!

ELLA:

Voy por el botiquín.

EL:

¡No te muevas! No es como lo pensé, pero por fin vamos a estar. . . en dos mundos. . . separados. ¡Que no te muevas!

ELLA:

¡Voy por el botiquín!

EL:

No te muevas o. . . *(Se ríe disparando la pistola descargada.)*
¡Click! No, de verdad. . . de esta nadie. . . me salva. Estoy viendo
mi. . . corazón. . . en pedacitos. . . La cama. . . Voy a morirme como
los. . . distraídos en la. . . cama. . .

ELLA:

Apóyate en mí.

EL:

(Apartándola.) Mientras me. . . muero, ni se te ocurra. . . moles-
tarme. . .

*El, trastabillando, va hacia el cuarto. Apaga la luz: en las tinieblas,
ella no sabe qué hacer durante un momento. Luego enciende una
pequeña lámpara. Ve una mancha de sangre en la alfombra y con
saliva y manos la limpia. Va después a limpiarse las manos contra
la pared, afanosamente. Mira la mancha en la pared. Dice: qué boba.
Se quita la bata, va a la cocina a mojarla y limpia con ella la mancha.
Dice: Ahora la bata está manchada. . . Toma un encendedor y le
prende fuego a la bata, la tira por la ventana. Se queda mirándola
arder. Entonces él sale del cuarto y enciende la luz general de la sala.
Parece estar entero, sin daño. Ella no puede siquiera gritar, tan grande es su susto.*

EL:

¡¿Qué haces, santo Dios?!

ELLA:

¡Humberto!

EL:

¡¿Qué se está quemando allí?!

ELLA:

Mi bata.

EL:

¿Por qué quemas tu bata, María?

Ella sólo tiembla, aterrada.

EL:
No te asustes por Dios.

ELLA:
(Abrazándolo.) ¡Humberto! *(Empieza a reírse nerviosamente. Le busca la risa a él. Le hace cosquillas, en vano.)* ¡Ríete! ¡Ríete!

EL:
(Con un dejo de repugnancia.) Pero ¿qué te pasa?

ELLA:
Ríete.

EL:
No puedo.

Ella vuelve de golpe al terror.

ELLA:
Entonces. . . ¿Estás herido?

EL:
(Sonriendo.) ¿Yo?

ELLA:
Lo soñé.

EL:
¿Qué cosa?

ELLA:
Te confundía con un ladrón y te. . .

EL:
¿Me qué?

ELLA:
Nada.

EL:
¿Me herías?

ELLA:
¡Nada!

Pausa.

ELLA:

Te disparaba con la pistola que trajiste a casa.

EL:

¿Yo traía una pistola a casa? Qué sueño.

ELLA:

¿No trajiste una pistola a casa? Una pistola de bajo calibre en un paquete forrado de. . . ¿cómo se dice?, de. . .

EL:

(Sarcástico.) Mariposas negras.

ELLA:

Papel de estraza (se dice).

EL:

¿Color? ¿De qué color el papel de estraza?

ELLA:

Eh. . . Gris. Sí: gris.

EL:

Rosa.

ELLA:

¿Rosa? No.

EL:

Sí, rosa.

ELLA:

¿Sí? Claro: rosa pálido. Rosa muy pálido. ¿Rosa muy pálido? ¿Muy pálido, amor? ¡¿Rosa muy pálido?!

El la mira fijamente.

EL:

No sé. Estamos hablando de lo que tú soñaste. ¿Y por eso quemaste tu bata?

ELLA:

. . .

EL:

María, explícame, no te voy a regañar, te lo juro. ¿Por eso quemaste tu bata?

ELLA:

Estaba manchada de tu sangre. . .

EL:

No, no estaba manchada de sangre. Bueno, de todos modos ahora está hecha cenizas. . . Ay María, María. . .

ELLA:

Estaba, te digo, manchada de. . .

El suspira.

ELLA:

Y aquí está todavía húmeda la pared. . . y el tapete. . .

EL:

¿Y eso cómo se relaciona con una bata?

ELLA:

Se relaciona. . . porque. . . se relaciona. . .? ¿No?

EL:

No, no se relaciona. ¿Y por qué mojaste la pared y el tapete? No, no, olvídalo, ya no importa.

ELLA:

Es que. . . yo. . . Yo antes. . . Antes me despertaba de un sueño tan fácil; estaba en un lugar y con un pequeño movimiento, tan pequeño como levantar los párpados, ya estaba en otro lugar, totalmente distinto, y serena, como si no fuera. . . extraño. . . Ahora, cuando abro los ojos no sé si los estoy cerrando. . . Necesito ayuda.

EL:

Necesitas descansar. Ven, vamos.

ELLA:

Cualquier cosa sería mejor que volverse loca. Prefiero la muerte.

EL:

Lo sé.

ELLA:

(Asustada.) ¿Lo sabes?

EL:

¿Qué sucede? *(Ella se estremece incontrolablemente.)* María, por favor María.

ELLA:

Tú quieres volverme loca.

EL:

¿Yo? Pero si no te estás volviendo loca. Son ataques de angustia, puede solucionarse. Hay fármacos para eso. ¿A dónde vas?

Ella busca tras los libros y no encuentra la pistola.

ELLA:

Aquí estaba guardada. . .

EL:

(Divertido.) ¿La pistola? ¿Allí la guardaste en tu sueño?

ELLA:

Allí la guardaste tú.

EL:

En tu sueño.

ELLA:

No, antes; en lo que creí que no era un sueño. . . en lo que estaba segura de que no era un sueño. . .

EL:

(Furioso.) ¡Basta! ¡Ven acá! *(Quedo, rabioso.)* ¿Quieres que te rompa las piernas para que nunca salgas de la cama? Así sería más fácil, no tendría que perseguirte por toda la casa a media noche, ¿verdad? Ven acá, por tu propio pie, si no quieres violentarme más. *(Muy suave, muy tierno.)* Te lo suplico, mi amor, ven acá. Yo soy el que necesita calmantes, no tú. Me pone nervioso. . . el mundo, no tú. Creeme. Ven. *(Ella se acerca. Tomándola de la mano la conduce al dormitorio.)* Vamos a la cama. Niñita. Mañana será otro día, verás.

Entran al dormitorio, él la acuesta en la cama.

EL:

Yo te cubro. Así, así, descansa. *(Se escucha como tararea el resto del arrullo. . .)*
"Señora Santana;
¿por qué llora el niño?
Por una manzana. . .
. . . que se le ha perdido. . ."

El sale a la sala.

ELLA:

¿A dónde vas?

EL:

Por una fruta.

ELLA:

(Dolorosamente.) Que no hay fruta.

EL:

Entonces por un vaso de agua.

En la sala, él saca de entre sus ropas la pistola. La esconde en otro sitio. Entra a la cocina. Ella sale a la sala en el momento en que él regresa con un vaso de agua. Ella lo mira, los ojos muy abiertos.

EL:

(Mostrando el vaso.) Agua.

Ella corre a revisar tras los libros. No encuentra nada. Llora. Llorando regresa a donde él, le rodea la cintura con un brazo. Sobre el hombro de ella, él bebe un poco de agua. . . Vuelven al dormitorio abrazados. El cierra tras de sí la puerta.

OSCURO

Cuatro
LOS DIENTES
(A oscuras, a lo lejos:)

ENFERMERA:
Ya llegó la pacientita, doctor. La pasé al cubículo tres.

DENTISTA:
Bien.

ENFERMERA:
Es la señora que llamó hace media hora, doctor. Dijo que era muy urgente. Que estaba en su oficina, dictando una carta, y de pronto se le destapó un dolor espantoso, dijo. Peor que si le hubieran dado un hachazo en la cabeza.

DENTISTA:
Muy bien, excelente, comuníqueme con mi esposa.

ENFERMERA:
Sí doctor.

Se oyen pasos acercándose.

DENTISTA:
¿Le dio a llenar los papeles a la señora. . .

ENFERMERA:
Berman. Berman se llama.

DENTISTA:
¿Bergman? ¿Como el director sueco?

Se oye cómo la enfermera marca un teléfono.

ENFERMERA:
No doctor. No podía. No sabe: llegó tambaleándose y lloraba.

DENTISTA:
Fíjese: ni más ni menos que. . .

ENFERMERA:
Señora, le paso al doctor. Doctor, su esposa. . .

DENTISTA:

No, no estoy para nadie, vamos a ver a Ingmar.

Se escuchan pasos acercándose. Paran.

DENTISTA:

Buenas tardes. Estoy. . . este. . . verdaderamente emocionado de. . . Yo he visto todas sus películas y. . . Y. . . ¿cómo pedírselo. . .? Yo no hablo sueco, pero. . .

ENFERMERA:

¿Podría por favor abrir su boquita. . .?

El hueco de la enorme boca se abre a medias y a través del hueco vemos el cubículo, al dentista y a la enfermera observando la boca. . .

DENTISTA:

Es una señora. . .

ENFERMERA:

Sí doctor. Le dije.

DENTISTA:

Cerrar. Comuníqueme con mi esposa, se lo pedí hace media hora.

La boca se cierra.

2. A oscuras, en tonos íntimos, suaves:

DENTISTA:

Señorita. . .

ENFERMERA:

Berman.

La boca se va abriendo muy lentamente. . .

DENTISTA:

Bergman. Es un placer conocerla personalmente. Quiero decirle que me gustó mucho su actuación en *Sonata de otoño*. Primero la confundimos con otra persona, pero. . . claro, es usted: la espléndida actriz escandinava.

La boca gruñe.

DENTISTA:
¿Qué dice?

ENFERMERA:
Creo que... nada. Está algo drogada. Antes de venir tomó sedantes.

DENTISTA:
Sedantes.

ENFERMERA:
Atibán 2000. Prodolina. Laxatín 3 miligramos. Necotén. Y... este...
algo más, no me acuerdo; agarró todo lo que tenía en su botiquín,
así en bonche, y luego nada más lo fue pelando como si fueran
pistaches, y para dentro. Eso dijo.

DENTISTA:
Ajá. *(Acercándose confidencialmente a los labios.)* Me encantó
su actuación en *Sonata de otoño*...

La boca se abre un poco más con un tremendo gruñido.

DENTISTA:
Ya, ya veo: le duele mucho: espléndido, espléndido. Vamos a ver.
Abrir. Abrir más.

La boca se abre completamente.

DENTISTA:
(Asomándose a la boca.) Ajá. Ya veo. Ya veo. ¿Dónde le duele?
¿Del lado derecho? Se retira un poco de la boca. ¿El dolor se le
irradia? Magnífico. ¿Se le irradia por todo el maxilar? ¿El maxilar
superior o el inferior? ¿Por toda la boca? Interesante. ¿Toda la boca
le duele? Toda la cara. Excelente, excelente. ¿Cómo dice? Toda
la... Humanidad... le duele. Sublime. Pero, ¿de dónde precisamente nace el dolor? Ajá. Ajá. Ah-já. ¿Ya se le espantó el dolor?
Bueno, es que a veces se trata de un dolor sicosomático, y con sólo
hablar de él, prestarle la atención que reclama, desaparece. ¿Ya
desapareció? No. Entonces, debe ayudarme: dígame donde nace el
dolor. Ajá. Ajá. Ah-já. No sabe. Codaína. Mientras la enfermera
prepara una jeringa de unos treinta centímetros: Ajá, ah-já, suma-
mente interesante. No se tense, le advierto que si se tensa le duele

más. Piense que no le va a doler, porque si se tensa puede romperse la aguja y quedársele dentro o írsele por la garganta y agujerarle el esófago o desinflarle los pulmones. ¿Lo está pensando? No me va a doler, no me va a doler, relax, relax... *(Sonríe, rápidamente se introduce a la boca e inyecta en una encía; va introduciendo el líquido de la inyección mientras con la mano izquierda sacude intensamente el labio y a sus espaldas la enfermera prende el estereofónico: va surgiendo alguna música serena de largas escalas de notas de piano. El dentista sale de la boca. Se sienta en un banquito.)*

Ya se le espantó el dolor, ¿estoy en lo correcto? ¿Por qué no? *(El doctor se queda pensativo. Le voy a decir la verdad.)*

La verdad es ésta: a mí *Sonata de otoño* me impresionó mucho, especialmente la escena en que usted golpea a su hija débil mental porque usted... ¡No cierre! ¡No cierre! Vamos a ver dónde le duele, no cierre. Porque usted se parece mucho, mucho, a mi hermana y —si cierra no puedo curarla, ¿no entiende?— y hoy, fíjese qué extraña coincidencia, hoy tengo con mi hermana un problema de ésos que son como para una película —mire: si cierra, mejor se va ahorita mismo, porque yo no la curo, es decir: no puedo curarla si cierra. *(Pausa. El doctor sonríe ampliamente.)*

Ahora sí: ya se le fue el dolor. ¿Por qué no? Vamos a investigar eso en un momento. Comuníqueme con mi esposa, Bertita. *(Antes de salir:)* Cerrar. *(La boca se cierra de golpe. A oscuras:)* Radiografías.

3. *Aún a oscuras:*

DENTISTA:
Abrir. Abrir. Dice que llegó drogada.

ENFERMERA:
Ay doctor, con decirle que llegó preguntando por un zapatero.

DENTISTA:
Abra... Páseme el gato.

Mientras el dentista va abriendo trabajosamente la boca con un gato hidráulico.

ENFERMERA:

Yo le di tres Mecotales. Y luego que le hicieron efecto y ya se calmó y dejó de aullar y se levantó del suelo. . .

DENTISTA:

¿Venía a gatas?

ENFERMERA:

Ay doctor, hasta ladraba.

DENTISTA:

Qué gente.

ENFERMERA:

Luego le digo que me confesó que antes de venir al consultorio ya se había metido el bonche de pastillas.

DENTISTA:

Ya me dijo.

ENFERMERA:

Dos Prodolinas. Un Redoxón. Dos Ansioliticum. Un Lexatín 500 miligramos. Dos Alka Seltzer con vitamina C.

DENTISTA:

¿Alka Seltzer, con vitamina C? Terrible. Ahora, seguro, todo eso se le cruzó con la anestesia que le pusimos. *(A la boca:)* Esto le va a producir el reflejo del vómito, ¿de acuerdo?

Le introducen un armatoste enorme con un cartón blanco.

DENTISTA:

Muerda.

El dentista empieza el trabajo de cerrar la boca renuente.

DENTISTA:

(Irritado.) Muerda. Muerda. Duro.

La boca está cerrada: oscuro. Se oye un zumbido. Le sacan a la boca el armatoste. La enfermera introduce en la boca la manguera de una aspiradora prendida. Aspira minuciosamente los rincones de la boca.

Luego la boca se cierra.

4. *La boca se abre. El doctor está revisando contra la luz unas radiografías.*

DENTISTA:

Ajá. Ajá. Ah-já. Qué bello. Qué bello es el mar. Qué puesta de sol, el mar rojo. . . el cielo rojo, el velerito blanco. . . Así que todavía usa bikini. Me parece muy sano. Aquí salió muy bien, muy elegante. ¿Me está entendiendo lo que digo o está entendiendo cosas raras? Eso le pasa por automedicarse. Bueno, no tiene nada. Es decir: visible no tiene nada. Todos sus postes están completos. . . sus puentes están transitables. . . sus castillos son unas fortalezas y en esta torre vive una princesa que padece el encantamiento de un sueño eterno y duerme coronada. . . coronada por una corona. . . Pero qué corona: qué trabajo de orfebrería. . . Lo que no entiendo es por qué le duele algo, Su Majestad. . .

La boca se cierra.

5.

DENTISTA:

(Con tono dinámico.) Abrir. Basta de pendejadas: vamos a localizar ahora mismo ese dolor. *(La boca se ha ido abriendo con ritmo dinámico.)* ¿Dónde le duele, precisamente? ¿No sabe? No tiene la menor importancia. Ahora, escúcheme bien, cuando le duela, grita, ¿entendido? Marimba.

El doctor, con dos palos de marimba, empieza a golpear por la dentadura. (Suenan notas discordantes. Luego, "La Sandunga", a cuyo son la enfermera baila. De nuevo notas discordantes, pero más arrebatadas.)

DENTISTA:

Aquí le duele, ajá. Aquí le duele. Aquí también. Aquí. Ajá. Ajá. Ah-já. Le duele, le duele, le duele, le duele, soberbio, excelso, magistral. *(Deja de golpear.)* Pero la pregunta es: ¿dónde le duele más? *(Silencio.)*

Tiene que cooperar con nosotros. Solo yo no puedo, ¿me está entendiendo? Bueno, ahora me dice dónde le duele mucho, dónde siente que es insoportable, que ahí con ese dolor mejor morirse, ¿de acuerdo? Y no escupa, por favor. *(Le hace una señal a la enfermera. Ella introducirá la manguera de la aspiradora mientras él golpea con los palos de marimba rabiosamente los dientes. Se retira por fin, exhausto.)*

Me tiene que decir dónde le duele. Ve usted, le voy a explicar y espero me comprenda: yo. . . no soy. . . Dios. No soy Dios para adivinar. *(Arrebatadamente toma una manguera, introduce medio cuerpo en la boca, la va regando de espuma mientras la enfermera la recoge con la aspiradora. Por fin salta dentro de la boca para patear los dientes; la enfermera sube tras él con las mangueras de la aspersora y aspiradora. Por momentos la boca quiere cerrarse y el doctor grita: "No cierre". O: "¿Este es su dolor? ¡Hemos dado con su dolor! Entonces no cierre". O: "!Cuidado!", cuando se da el peligro de que queden él y la enfermera aplastados entre los maxilares. Por fin ambos salen de la boca, se apartan de ella, la miran serios.)*

LARGO SILENCIO

DENTISTA:

¿Pasó el dolor?

LARGO SILENCIO

DENTISTA:

Ni sabe todavía dónde, precisamente, le duele.

LARGO SILENCIO

La enfermera levanta una cubeta y echa su agua de golpe en la boca.

———————

Otro largo silencio en que el doctor y la enfermera observan de lejos a la boca.

El doctor adquiere un aire amenazante, como de policía secreto:

DENTISTA:

Entonces, ¿todavía no nos va a confesar donde está ese maldito dolor? Ya veo: insiste en que lo ignora. Despreocúpese: disponemos de métodos para averiguarlo.

Molesto, sudoroso, manchado, se va. La boca no se cierra.

La enfermera se pone a revisar un látigo. Lo azota contra la pared. La boca se cierra.

6. *La enfermera abre poco a poco la boca con el gato hidráulico. Tarareando una canción de cuna va colocando por todas partes enormes bultos de algodón.*

Luego se sienta. Prende una fresa eléctrica; hará cosas crueles en las encías, mientras habla y habla y habla.

ENFERMERA:

Su esposa. . . es su hermana. . . , eso es lo que pasa. No es tan extraordinario como se podría pensar. Usted que es artista, gente de mundo —actriz, ¿verdad?—, también habrá tenido por ahí un incesto. Al menos en una película. Además, que yo sepa, como amantes se llevaban muy bien el doctor y su hermana. Hasta que ella se enamoró de otro. De otro dentista, mire qué desgracia.

Un endodoncista bastante conocido. El doctor Fasja se llama. El que tiene una fuente en medio de su consultorio. Oiga, dispense: ¿nunca se lava los dientes o qué? Puf: cuánto sarro. Y mierdecitas de hace siglos. . . El asunto, le decía, es que ella se prendó del tal Fasja y se lo llevó a vivir a casa del doctor su hermano, es decir: su esposo. ¿Cuándo comió langosta, mi vida? ¿Hace tres meses, no? El doctor —el esposo de la hermana del doctor, como quien dice el doctor de aquí— está muy contrariado. No es que le moleste la compañía, pero la competencia sí. Sí: nunca ha sabido lidiar con la competencia; lo pone tenso, agresivo. . . Por más que el doctor Fasja está en otra especialidad, en endodoncia, como le dije, lo considera competencia. Transferirle pacientes, ¿por qué no?, ¿verdad?, ¿pero transferirle a su hermana? Está más difícil, ¿verdad? Puf. *(Se cubre la nariz con un pañuelo y sigue trabajando y hablando.)* El caso es que... el doctor —hablo de nuestro doctor— le habla cada media hora a su hermana para exigirle que deje al endodoncista. Yo digo que... *(Apaga la fresa, toma un fusil y empieza a limpiarlo.)* Yo digo que en estas cosas de amores siempre hay una pequeña incomodidad porque... nada es perfecto, no en esta vida, ¿me entiende? Y es que no estamos hechos para la felicidad. No, no estamos hechos para ser eternamente felices. ¿Cómo, si tenemos dientes? Y cada diente tiene un nervio y cada nervio la posibilidad de un dolor a muerte. Todo lo que tiene dientes puede llegar al suicidio... Y lo que no tiene dientes, también. Todo lo que tiene peso puede hundirse; todo lo que tiene un sitio puede perderse; todo lo que ocupa un tiempo puede acabarse: "vanidad de vanidades, todo es vanidad". Como decía mi tía. *(Tira a un lado, con displicencia, el trapo, que cae en la boca. Lo recoge.)* Perdón. *(Saca un cuchillo y un tenedor grandes, de carnicero. Procederá a cortar una tirita de la carne de una encía. Se preparará un taco y se lo comerá, mientras habla y habla y habla.)* ¿Sabe lo que es la parodoncia? Eso que está sintiendo es la parodoncia. Bueno, pero estábamos en que ahora los tres —el endodoncista, el cirujano de la boca— nuestro doctor —y la hermana de él, que es su esposa y la amante del endodoncista— sí me entiende, ¿verdad? —viven juntos, y el cirujano— el doctor de aquí, como que está confundido, como que se siente a disgusto, como que quiere... *(Jala un pedazo largo y delgado de carne, lo sigue jalando... Por fin intenta cortarlo con el cuchillo, aunque es muy difícil. Todo esto mientras continúa hablando...)* como que quiere separarse de ella pero ella le dice que mejor se integre con el otro, el endodoncista, pero él quiere separarse pero ah, cómo duele, ¿no?, duele separarse, y piensa: me separo, y entonces cada media hora llama a su hermana para intentar separarse pero ya cuando discute con ella no puede separarse y... se pone furioso, furioso, furioso...

La boca gruñe y botando el gato se cierra.

———————

DENTISTA:

(*Furioso.*) ¡Abrir! (*La boca se abre de golpe. El doctor está termi-
nando de cargar un rifle.*)

El doctor dispara dentro de la boca.

DENTISTA:

¿Se le espantó el dolor? Despreocúpese. Ahora matamos ese nervio.
*Dispara. Dispara otra vez. La enfermera riega de espuma roja
la boca, hasta colmarla.* Cerrar. Llamar hermana.

La boca se cierra.
A oscuras:

ENFERMERA:

Doctor, la nariz. . .

DENTISTA:

Chin, la nariz. . . Cita con cirujano plástico, piso 15. Llamar hermana.

8. *La boca se reabre. La enfermera va sacando los bultos de
algodón, húmedos de espuma.*

ENFERMERA:

(*Luego de un rato de trabajar en silencio.*) Aj: qué puerquero.
Todo lo ensucian y luego una, recoge y recoge sus tiraderos. Ay,
ay-ya-ya-yay: ¿ora que asquerosidad es esto, mi vida? Una muela
del juicio. Pobrecita boquita. (*Saca la muela y la tira al basurero.*)
Y ¿esto? Otra muela del juicio. Uy, que lástima. Mire mi amor,
mientras menos dientes menos dentista, así que mejor. No, no, mi
vida, relax, relax. Y no se preocupe, ahorita le saco todo eso que
ya no le sirve, reinita. (*Saca una rueda de engranes, la tira.*) Ay
mi amor, mi vida, pobrecita. . . Pobrecita. . . (*Pausa. Lueg , confidencialmente:*) Sandra. Te reconocí desde que entraste al consultorio. (*Limpia durante un rato un diente, como si le diera
lustre a un zapato. Luego vuelve al tono confidencial:*) Cuánto
tiempo, Güera. Cuánto tiempo. (*Se acerca más a la boca.*) Tantos
años y ahora. . . encontrarte. . . así. Abre un poquito más, porfa. . .

(La boca obedece. Ella lustra más al fondo, medio recostada ya en la lengua. . .) ¿Rico? Después de tanto dolor, ¿verdad que rico, mi chula? Te digo que tan luego que te vi, te reconocí, te sentí, me sentí, me acordé. . . Me acordé, sí, Dios santo. . . Tantas veces que tu boca estuvo dentro de mi boca, que mi boca estuvo dentro de la tuya, que tu boca estuvo en mi otra boca, que. . . Ay mamacita, me sonrojo. Pero ay qué noches de saliva, güera, qué madrugadas, qué revolcones en tu lengua, mi alma bendita. . . mi Bárbara sediciosa. No sé, te juro que no sé como he podido vivir todo este tiempo lejos de tu boca. *(En un impulso se rueda dentro de la boca. Queda tendida en la lengua, respirando densa y profundamente.)* Tu boca, todo se me olvidaba en tu boca, ¿te acuerdas? Yo te decía: Qué me importa lo que la gente diga. Fuera de tu boca no existe nada, nada, nada. . . Y no, de veras nada existe fuera. Dentro de tu boca el tiempo, el mundo se hacen nada: polvo, ceniza: baba. Quiero. . . quiero. . . ¡quiero! Quiero. . . morirme. . . en tu boca. . . Cerrar. . . Cerrar. . . Cerrar. . .

La boca, lenta, amorosamente, se va cerrando. OSCURO largo.

9. *La novena sinfonía de Beethoven.*

La boca se abre poco a poco, a ritmo. Lentamente se aproxima el doctor, un casco de minero con linterna al frente y una lanza en la diestra; la enfermera a continuación, con la manguera de la espuma y la de la aspiradora. Ambos suben a la boca. Las máquinas se encienden ambas. El doctor clava en una encía la lanza. La hunde profundamente. El doctor saca la lanza y la vuelve a clavar. Lo hace varias veces, con gestos heroicos, "a tempo".

El doctor salta fuera, las mangueras se apagan.

DENTISTA:
Estamos drenando. *(Sonríe ampliamente.)* Ahora que terminemos de drenar, empezaremos a buscar en serio ese dolor. Mientras tanto, relájese. Bertita, oigo sonar el teléfono.

ENFERMERA:
Sí doctor. *(Sale.)*

DENTISTA:
(Luego de prender la aspiradora y meterla a la boca.) Con permiso.

Nuevamente entra y clava la lanza, la música épica sigue. . .
De golpe el doctor resbala y cae. Se oye un enorme Gulp y acaba
la música.

10. *Entra la enfermera. Busca al doctor con la mirada, luego en*
los lugares más insospechados, en el basurero, en un frasquito, bajo
una tapa.

ENFERMERA:
(Metiendo medio cuerpo en la boca.) ¿Doctor? ¿Doctor? ¡Doooc-
toooooooor. . .!

SILENCIO OMINOSO

ENFERMERA:
Doctor: le habla su hermana por teléfono.

SILENCIO OMINOSO

ENFERMERA:
¿Doctor. . .?

TERCER SILENCIO OMINOSO

ENFERMERA:
¿Pasó el dolor? Espléndido. Cerrar.

La boca no se cierra. La enfermera se asoma dentro de la boca
otra vez.

ENFERMERA:
Cerrar, ¿me oye?

De pronto la enfermera es succionada hacia el fondo de la boca;
se resiste: se agarra de las paredes, de los labios, de los dientes, pero
la atracción de la boca es potente. . . Por fin es tragada.
ULTIMO SILENCIO OMINOSO

FINAL

Contenido

Esta obra se terminó de imprimir en el mes de
febrero de 1998, en los talleres de
Procesos Editoriales Gaceta
Intervinieron:

Impresión . . . . David Esteban Hernández

Encuadernación . . . . Ramón Mata

Cuidado de la edición . . . . Yalma Hail Porras

La edición consta de 1,000 ejemplares impresos en papel
cultural de 37 kgs. para interiores y cartulina couché
cubierta de 139.5 kgs. para portadas.
Los textos se elaboraron en ITC Clearface 8, 9, 11, 16 pts.